心でつながる女子ダブルス

勝てるテニスの処方箋

坂田妙子 著

Parade Books

はじめに

『心でつながる女子ダブルス』を手にとっていただき、ありがとうございます。

私の「女子ダブルス」指導におけるモットーは「ダブルスは常にペアのために！」です。ダブルスはペアとチームを組み、2人で連携して戦うスポーツであり、強くなるにはペア同士が互いにスクラムを組み、支え合う必要があります。試合では、ペアが余裕のない状態でボールを打たざるを得ない状況になっていたら、ペアが態勢を整えられるように時間を作るポジション取りをする、また、いくら自分が得意のショットを打てる状況にあったとしても、そうすることでペアが苦しい状態に陥る可能性があるのなら、そのショットをやめてペアが次の準備ができるようなボールを打つ、といったように常にペアに配慮してプレーすることが求められます。ペアの置かれた状況を考慮せず自分本位のプレーをしていては、決して勝てません。

このように、ペアが困っていたら自分は何をしなければならないか判断し、ペアのためになるよう行動するという「女子ダブルス」の考え方は、社会や職場にも当てはまります。相手を大切にすることは、翻って自分を大切にすることにもつながりますし、パートナーへの思いやりの心は、周囲への気遣いや心遣いにつながり、豊かな人間関係の構築にもつながっていくことでしょう。

本書は、私が「女子ダブルス」の選手として経験してきたことや、また指導者として生徒さんたちの悩みと向き合うなかで説いてきた技術面・メンタル面のアドバイスなどをまとめたものです。お読みいただければ、生徒の皆さんのみならず、広く一般の方々にとっても生きるヒントになるのではないかと思っています。加えて、「女子ダブルス」が多くのスポーツ同様に奥が深くとても楽しいスポーツだということ、さらに、人間形成にもつながる知的なスポーツだということも知っていただけることでしょう。

この本が、多くの方々の人生の「道標」となることを心から願っています。

Do-planning Club 代表
坂田 妙子 Taeko Sakata

YOU ARE
NOT

目次

第2章　あなたを伸ばす練習法・戦略
――スキルアップのための処方箋――

第4章　テニスが教えてくれた大切なこと
――心のイノベーション――

第1章　ダブルスマインド

——ペアとともに挑む——

ダブルスはペアのために！

女子ダブルスでもっとも大切なこと。それは《ペアへの気遣い》だというのが私の持論であり、本書のベースとなる考え方です。

当たり前のように聞こえるかもしれませんが、実はこの気遣いこそ、とくに女子ダブルスでは大切であり、ダブルスはここから始めなければ、決してうまくいきません。ショットや戦術、駆け引きは、いわばスパイスのようなもの。練習すれば、あとからいくらでも身に付きますが、《ペアへの気遣い》はそうはいかないのです。

《ペアへの気遣い》が一番大切だと私が確信したのは、ある生徒さんとペアを組んで試合に出場した際のことです。「ペア（生徒さん）の喜ぶ顔が見たい！」と思った私は、彼女の得意分野を生かしたい一心で試合に臨みました。

そのために徹底したことは、次の2点です。

◇常にペアのいる場所を把握する
◇ペアの動きに合わせる

この2つを遂行するには、ペアに心を寄せる《気遣い》が欠かせません。ペアを気遣い、ペアの心情を察し、ペアの動きに合わせる。そうすれば理想的なダブルスができるということを頭で理解するだけでなく、心と体で実感することができた私たちペアは、見事、その試合を最後まで戦い抜くことができたのです。

私がオンコートで実際に行ったのは「常にペアのいる場所を把握する」ことでした。ペアに自主的に動いてもらいつつ、自分の守備範囲も明確にすることにより、慌てたり戸惑ったりすることなく、冷静に試合を展開し続けることができたのです。

試合において《冷静さ》はとても重要な要素です。冷静であることで、自分自身のプレーも安定し、着実にポイントを重ねることができます。また、「ペアの動きに合わせる」ことで、ペアと攻守の意識を共有することができ、迷いのないプレーにつながるのです。

例えば、ペアが攻めのボールを打つときには、私も同じ気持ちで攻める準備ができ、ペアの動きを観察することで、ペアが今どんな状態にあるのか（困っているのか、攻めあぐねているのか等）を素早く察知し、ペアをフォローする行動をとることができました。

「勝ちたい！」とか「負けたくない」といった我欲に固執することなく、ただひたすら「ペアを喜ばせたい！」「私とのダブルスを楽しんでもらいたい！」一心で挑んだ結果、私自身にとってその後の人生を左右するような非常に実りの多い試合になりました。

自らの経験を通して《ペアへの気遣い》の大切さを学んだ私は、ダブルスの真髄にまた一歩近づくことができたのです。

ペアを感じることが大切！

あなたはダブルスにおいて、常に《ペアを感じる》ことができていますか？

ペアを感じることができれば、ダブルスは格段にペアリングが良くなります。

まずは、

「ペアが今どのようにボールを取っているか」

「時間がなくなったのか、時間を作ってくれたのか」について、考えてみましょう。


「時間がなくなる」とは「相手のボールに対し押され気味、あるいは体勢を崩しながらやっと返球した場合」で、「時間を作れた」とは「積極的に配球をし、次へのポイントの組み立てにつながる返球をしている場合」を意味します。

例えば「平行陣の場合」で「あなた側のセンターロブをペアがとった」場面を想定します。

このシチュエーションであなたがまず考えるべきことは、「ペアが時間をなくしているのか、どうか」です。

「時間をなくしている」と感じたのであれば、一度あなたはサービスラインに下がって、「自分の方に来たロブは私が取るからね！」という意思表示を行い、ペアが安心してサイドに振られたボールに集中できるようにしましょう。さらに、あなたのこの意思表示をペアが感じることによって、ペアは体勢を立て直すことができ、その後の配球を考える余裕が生まれるのです。

このように、互いの動きや意思を《感じ合う》ことによって、再び、互いが前に入っていける（攻めに転じられる）ようになります。

文章で読むと、シンプルかつ基本的な動作ですから、「なんだ簡単じゃないか」と思うかもしれませんが、強いダブルスペアはこうやってお互いを必ず《感じ合って》いるのです。つまり、《感じ合う》ことができてこそ、強いダブルスペアになれるのだということを覚えておきましょう。

強いダブルスペアが意識していること

ダブルスの「心構え」で一番大切なこと！　それは、次の3点だと私は考えています。

「常にペアを思いやること」
「常にペアのために何ができるかを意識すること」
「常にペアの笑顔を引き出すこと」

試合に勝てばだれだって嬉しいし、清々しい気分になります。でも実は、試合に勝ったからといって、必ずしも「レベルアップ」しているわけではありません。勝つから「強いペア」とも限りません。「強い」ペアとは、先述した3つのメンタル（「心構え」「考え方」「意識改革」）を互いに持ち続けているペアです。

ペアを思いやる気持ちがあれば、自然と次のようなプレーが生まれます。

「ペアが喜ぶプレーを互いに判断・選択する」

ここでいう「ペアが喜ぶプレー」とは「ペアのナイスショットを引き出す配球をし〝2人の連携プレー〟でポイントを重ねる」ことです。

「ペアがミスばかりしていたら、自分が少し無理をする」

これは、ペアのメンタル（士気）を下げないために有効です。

なにより大切なのは、ペアに今起こっている問題を共に解決しようとすることです。互いに笑い合うこともそうですし、自分のミスが多いと感じる時には「自己完結」で解決しようとするのではではなく、ペアと相談してみましょう。ひとくちにミスといっても、原因によってはペアの協力が必要なことも多々あるからです。

例えば、「対戦相手が自分にボールを集めている」場合、その結果として自分に余裕がなくなってミスに繋がっているのだとしたら、自分一人で解決するのは困難です。

それ以外にも、「ショットミスか？」「戦術ミスなのか？」等々、原因はいくつも考えられます。「ペアと相談する」だけでも冷静になることができ、気持ちを切り替えたり、試合の流れを変えられることがあります。

コート内で起こっていることはすべて2人の問題だという連帯意識のもとで、相手の弱点を観察し、対戦相手に心を囚われすぎず、自分たちの戦術で戦い続けましょう。

ペアの士気が下がらないダブルスは、対戦相手からしてとても厄介なものですよ。

自己満足プレーからの脱却！

私は自身のブログ『坂田の呟き』で、ダブルスとは「常にペアと共に作り上げるもの」であると訴え続けてきました。

長年ダブルスを指導し、たくさんのダブルスを見てきたなかで、「残念だな」「もったいないなぁ」と感じるペアも少なくありません。なにもミスショットが目立つからではなく、むしろ各ショットのクオリティーが高く、爆速リターンや強烈なストロークで「個々がエースを量産して満足」しているペアを見ると、「ダブルスとしての強さではないなぁ」「ダブルスの醍醐味を感じないなぁ、惜しい！」と、もったいなく思うのです。厳しい言葉かもしれませんが、自己満足で終わっていると呟かざるを得ません。

私が感じる「自己満足なプレー」とは、

○ペアを置き去りにして自分が打ちたいように、打ちたいコースに打っている。
　＝自分の気持ちの良いショットを打つことしか頭にない。
○ペアはおろか対戦相手の動きさえ観察しておらず、ペアへの返球にまで考えが及んでいない。

＝自分が強く打ったあと、ペアにどんな返球があるか、考えていない。
◯自分のショットが決まることが楽しく、「自分が決める！」ことにこだわりがち。
＝強打でエースを取れれば気持ち良いが、封じられてもスタイルを変えない。

そもそもペアのことを考えていない（ペアの存在を軽視もしくは忘れている）のです。あなたにもし思い当たる点があったら、今からでも遅くはありません。改めて「ダブルスで楽しいと思えるのはどんな時か？」を考えつつ、次のように自問自答してみてください。

①ペアが仕掛けようとした時に、同じような気持ちになっているか？
②ペアが仕掛けるのが難しいと感じ、配球した時、ペアのためのポジションに入れているか？
③対戦相手の動きを感じずに「ただ打ちたいところ」に打っていないか？
④ショットの強さを前面に出し、気持ちよく打ったとしてもペアは喜んでいるか？
⑤自分が取れるボールでも意図してペアに任せ、ペアが最大限に活躍できるように動いているか？

これらのチェックポイントに対し、すべて、お互いに「できている！」と答えられるならば、2人は間違いなく素晴らしいペアです。そんな2人なら、「心からダブルスが楽しい！」と言えるでしょうし、ダブルスの《原点》を理解しているペアだと言えます。

それが、大切なのです。つまり、ダブルスの《原点》を理解し、ダブルスの醍醐味を知る２人には、ダブルスの「のびしろ」が無限に広がっていくと言えます。

あなたは主演女優タイプ？

「やんちゃ」で知られたサッカー選手、セレッソ大阪のFW大久保嘉人選手が２０２１年に引退を表明したときの、心の内を明かした会見がとても印象的でした。現役時代は「やんちゃぶり」が目立ち、イエローカードや退場になることが多かった大久保選手。選手時代を振り返り、こんなふうに語りました。

「汚いプレーヤーでしたけど、悔いはないです。サッカーの時と普段の自分は全然違う。サッカーの時には、サッカー選手としての自分を貫き通せた」

大久保選手については、色々な評価があると思いますが、私は、大久保選手が「サッカーの時と普段の自分は全く違う」と自ら述べているように、本来の大久保選手は繊細で心の弱さも持った人間であり、サッカーで見せる、よく言えば、言動共に常に攻め！　悪く言えば、やや（とても？）粗暴なキャラは、ある程度本人の作り出した「サッカーで戦う上でのキャラ」だったように思います。

サッカーの日本代表FWを長きにわたって背負い、シュートの数も誰よりも多く、「全部決めてやる！」という心意気で挑んだ大久保選手。周囲の期待も大きく、本人もこだわり続け、史上初の３年連続Jリーグ得点王とJ１通算最多得点記録保持者として結果も出してきた！

海外（スペインリーグ・マジョルカ在籍）で戦うには「対戦相手になめられない」ように、「サッカーでの自分はこうなんだ！」と、キャラを作り出し、横柄で強い自分を演じていたのではないでしょうか。

ありのままの自分でいることも大切ですが、スポーツで戦うには、その中でキャラを作り出し、演じることも必要だと私は考えます。これは、テニスにも言えること！　もちろん大久保選手の「横柄」キャラを真似するという意味ではありませんが。

キャラ作りをする上で考えてもらいたいのは、自分が、シナリオ作家タイプか？　主演女優タイプか？　ということです。シナリオ作家タイプは対戦相手を観察し、ペアの特徴を考え配球し、試合の脚本を作り出していく！　これに対して主演女優タイプは、脚本の流れに従って、決められたコースに戦略通り配球し華々しく決めていく！

特にダブルスは「ペアと２人で戦うもの」なので、この２人のキャラが上手く機能すれば、最高の戦いができるのではないでしょうか？

どちらのキャラを演じるにしろ、当然、２人が同じ「脚本＝シナリオ」の中に居ることが必要です。つまり、「一つの脚本を互いに共有する」こと！　２人で戦うのに、お互いが全く違うシナリオを思い描いていては、ストーリーがちぐはぐになり、うまく噛み合いません。

2人で最高のダブルスを作り上げるために、「キャラ作り」や「シナリオ作り」について、ペアと語り合ってみてはいかがでしょうか？

ペアとは演じる役割が異なる方が望ましいですが、2人が同じタイプである場合、例えば、互いが同じ「主演女優タイプ」であった場合はペアと相性が悪いのか？ と言えば、決してそうではありません。何故なら、役割は「キャラ作り」で演じることが出来るのですから！


「人生は舞台。演じて楽しみましょう」と言う言葉を聞いたことがあります。人生の主役はいつも「自分」です。主役がどのタイプなのか？ 演じるのも自分の自由です。

その主役は必ずしも華々しい「主演女優」とは限りません。主役を引き立たせるための脇役であったり、物語を陰で作り上げる脚本家役であったり。

テニスの試合を舞台だと捉え、ペアと話し合い、一つの脚本を作り上げていく！ そのうえで、稽古＝練習を重ね、本舞台＝試合に臨む！

脚本が練り上げられれば、練り上げられるほど、最高のペア、最強の2人になれます。そして、さらにダブルスが楽しくなる！

第1章

あなたは主演女優タイプ？　脚本家タイプ？

〝アライバコンビ〟を目指す！

皆さんは、自分たちのダブルスの「弱点（ウイークポイント）と強み（アドバンテージポイント）は何か？」と尋ねられたら、即答できるでしょうか？

日頃から自分たちのプレーを客観的に分析することを意識していますか？　自分たちの強味と弱みをを知っておくこと、分析することは、とても大切です。そして、この分析をどのように生かしていくのかは、もっと重要です！

このことを野球の〝アライバコンビ〟に置き換えて解説します。〝アライバコンビ〟とは、日本プロ野球のセントラル・リーグの球団、中日ドラゴンズで活躍した荒木雅博と井端弘和の二遊間コンビを表します。荒木選手も井端選手も一流の内野手で、２０００年代にゴールデン・グラブ賞をそろって６度も受賞しています。ショートが荒木選手、セカンドが井端選手。実は、もともと逆のポジションの守備をしていたのですが、落合監督が、２人の個性、特性を分析し、この２人のポジションを入れ替えたところ、それぞれの素晴らしい能力がよりいっそう発揮されるようになったのです。

当時の落合監督は、荒木選手の足の速さをアドバンテージポイントとしてショートにポジショニング、井端選手のテクニックを生かしてセカンドにポジショニングしました。その結果、ショートは守備範囲が広いので荒木選手の足の速さがより生かされ、セカンドは細かいプレーの状況判断と柔軟さが求められるので、井端選手のテクニックがより生きることになったのです。これが、最強の二遊間コンビ〝アライバコンビ〟誕生ストーリーです。

テニスのダブルスでも、荒木選手と井端選手のような、〝アライバコンビ〟を目指すには、どうすれば良いでしょう。

テニスのダブルスにおいてポジショニングはとても大切です！　まず、自分たちのそれぞれの個性やプレーの質を分析し、ウイークポイントをカバーするためのポジショニングにするのか、それとも、自分たちのアドバンテージポイントを生かしたポジショニングにするのか、明確にする必要があります。

例えば、足の速いストローカーなら前衛ペアはわざとセンターを空ける、しかし足が遅いようならセンターに入るなど、分析とそれを生かしたプレーを実践することで、よりレベルの高いダブルスを作り出すことができます。

もちろん、野球の荒木選手と井端選手はプロの中でも超一流ですので、この域に到達することは不可能に近いと言えますが。

しかし、〝アライバコンビ〟を目標として、それに近づこうと努力する姿勢が大事です。自分たちのウイークポイントやアドバンテージポイントを分析することなく、自分がミスをしないことばかりを考えるペアは、〝アライバコンビ〟にはなれません。ミスをしないことに徹していれば、ミスは当然減りますが、相手にチャンスを与えることになります。また、これでは、自分たちの個性を充分に生かしたダブルスを作り上げることはできません。

今、目の前の勝負にだけこだわり、負けないことに固執するよりも、「ペアと互いの個性を熟知し、さらに分析すること」、そして「それを生かすようなポジショニングや配球をすること」が、時間はかかるかもしれませんが、着実に〝アライバコンビ〟に近づく方法です。

孫子の兵法も取り入れる

「孫子の兵法」とは、中国最古の兵法書で、今から2500年ほど前に、中国の「孫武」によって書かれました。兵法書の中でも、最も優れたものとされていて、最近ではビジネスの指南書として注目されているそうです。

なぜなら、この兵法の書が今の私たちにも学ぶことが多い、素晴らしい哲学書でもあるからです。

それまでの兵法の考え方は、「勝敗は天運によって左右される」というものでした。しかし、孫子は「勝敗は運ではなく、合理的な理由がある」と主張したのです。

私が、とくにテニスに通じる、ダブルスにおいて大切だと感じたのは、次下の言葉です。

『彼を知り己を知れば百戦危うからず』

これは、「敵の実情を知り、味方の実情を知れば、百戦しても百勝できる」ということを示しています。また、勝利の秘訣は、『先に守りを固めて、敵の隙を狙うこと』だとも、述べられています。つまり、「守りが頑丈であれば、必ず勝つチャンスはある。守りが肝心だ」ということです。

ダブルスにおいて、ペア2人のうち、1本でエースを取れる（1人のプレーであれば実力ペアより勝る）方ばかりが、ボールを触ろうとする傾向があることが気になっています。ここで、孫子の兵法を思い出して欲しいのです。果たして、一方のペアだけが気持ちよく、自分のやりたいようにプレーして、孫子の説く『相手を知り、味方を知る』ことができるでしょうか？ペアの片方ばかりが強打や、鋭いショットを打ちエースをとれば、相手は、自然ともう一方のペアを狙うようになるからです。

「早いボールを打てばペアに早いボールが返ってくることを考えているか？」
「角度をつけたら、ペアの守備範囲が広がり、ペアを苦しい状況に追い込むことを理解しているか？」
「自らが、自分たちの守備力に穴を作っていることに気がついているか？」

ダブルスの極意とは、これまで何度も私が書いてきたように、ペアとの連携でポイントを取ることであり、これこそがダブルスの醍醐味なのです。２人の連携がきちんと取れているペアこそ、ダブルスにおいての「強者」と言えます。

ダブルスで「強い人」とは、相手ペアの特徴、力、特性を見抜き、それに応じたプレーのできる人のことです。そして、守りを堅実にしながらも、相手に「打ちづらいな……」、「やりにくいな……」と思わせる、仕掛けの配球もできる人のことです。決して、強さをひけらかすようなプレーはしません。

中国古来の教えにも、テニスに生かせるヒントは隠れていますね。

ペアはお見合いで選ぶ？　それとも恋愛？

「女子ダブルス」の悩みで大きなウエイトを占めるのは、ペア（パートナー）との関係です。

皆さんは、現在のペアとどのようにして出会いましたか？「女子ダブルス」のペアリングは結婚と一緒で、お見合いのように誰かの紹介や推薦で行うこともあれば、この人と組みたいという互いの希望で行う場合もあります。

ただし、結婚でもいざ一緒に暮らしてみると生活態度が想像していたのと全然違っていたとか、結婚してからわかることがたくさんあるように、女子ダブルスでも実際に同じコートに立ってみると、思っていたのとは違って相手がずいぶん強引なタイプだったとか、逆に、消極的すぎて自分が常にリードしなければと無理をしてしまう、逐一意見がぶつかる、どうも反りが合わないなど、さまざまな問題が出てきます。

また、プレースタイルを巡って考えが対立するということもあります。例えば、自分が攻撃型なので、それを生かしたダブルスペアにしたいと思っていたのが、組んだ相手が自分に守備役を要求してくる、また、相手の守備力が今ひとつなので、自分が不本意ながら守備を引き受けざるを得ない、といった場合がそれです。

こうした理由であっさりペアを解消するケースもあれば、自分のキャラを変えて頑張ってペアを続けていくケースもあります。結婚に例えれば、ずっと好きな仕事を続けキャリアを積んでいけると思って一緒になったのに、夫から仕事に専念したいから妻には専業主婦になってほしいと要求されたというような場合、もうやっていけないと離婚してしまうのか、主婦として生きていくのは本意ではないし家事は不得意だけれども、なんとか頑張って夫を支える側に回って結婚生活を継続していくのか、どちらを選択するにしても覚悟がいりますね。

自分を変えることは苦痛を伴いますし、相当な努力も要します。そこまで無理をする必要はないかもしれませんが、自分のやりたいことを我慢して、相手の希望に添う役目を担うことで、自分が成長できるというメリットもあります。不得意分野の能力が鍛えられるのはもちろん、次に別の人とペアになったときに、相手の気持ちを察することができるようになり、互いを生かし合うようなよりよいペア関係を築く力がつきます。

どうしてもうまくいかなくて、最終的にはパートナーとの関係を解消することになったにしても、互いに努力したことは無駄にはなりません。これは、結婚でも仕事でも同じで、すべての経験は次のステージで生きてくるのです。

では、即解消とならないためにも、ペア選びで重要視すべきことは何でしょうか？

1番目は、テニスに対する考え方、向かい合い方が同じであること。ここが違っていると、普段から仲が良い者同士であってもうまくいかないでしょう。2番目は、練習時間や試合時間を同じように取れる人であること。どちらかが無理して相手の都合に合わせて練習や試合をすることになると、ストレスが溜まります。こうした関係は楽しくないし、長続きしません。

こうした条件に加えて、メンタル面でも相性が合う人となれば……。本当にパートナー選びは難しい！　ですが、ペアとの絶妙な連携プレーこそが「女子ダブルス」の魅力。ぜひ、互いの長所を認め合い、安定したパートナーシップを育んでもらいたいものです。

今、組んでいるペアと価値観も相性もプレースタイルもぴったり！　という方は、その幸運に感謝して、さらにダブルスペアとしての進化を目指してください。ただし、どうしてもうまくいかない場合は、我慢し続けることはありません。ペアを解消して新しい相棒とコンビを組むという選択を。パートナーチェンジをすることで、世界がガラリと変わり、新しい景色が見えてくることもあるのですから。「ペアのために頑張ろう！」と思える、よきパートナーが見つかりますように。

ダブルスよりもトリプルス！

「ダブルスよりもトリプルス！」

なんていきなり言われても、きっとあなたの頭の中は「？」でいっぱい。首をかしげているかもしれませんね。《トリプルス》とは、ペアとコーチと3人で強い信頼関係を築き、ダブルスを3人で戦うことです。

これは「オートクチュールレッスン」と同様に、私のオリジナル用語（造語）です。(笑)

ダブルスで強くなるためには、持てる技術と戦略を駆使して、2人の得意パターンを組み立てていくことが重要です。

「技術にも戦術にもまだまだ不安がある」と感じるなら《トリプルス》の出番です！

ダブルスの知識も経験も豊富、戦術や配球を知り尽くし、なおかつ「客観的な視点」で2人の個性を生かしたアドバイスができるコーチを巻き込んで……

◇ダブルス（ペア）＋コーチ＝《トリプルス》

私の役目は、ダブルスに励む生徒さんたちの《トリプルス（第3の人物）》となって2人のダブルスとしてのクオリティーを高め、それぞれの特徴を生かした、もっとも強いパターンを作りあげることです！

《トリプルス》を実現するには、2人の信頼関係がベースになることは言うまでもありません。そして、その信頼関係は1日で成り立つものではなく、練習あるいは練習以外の場での交流を通して、互いに相手を理解し、少しずつ少しずつ作り上げるものだと思っています。

生徒さんの中には、積極的に意見や想いを話してくれる方もいれば、自己表現があまり得意ではない方もいらっしゃいます。なので、私は話を「聞く」のではなく「傾聴」し、「心の声を探る」ことをモットーにしています。コーチには、プレーにおける改善点を見抜く力だけでなく、生徒さんのちょっとした仕草や表情から言葉にならない心情を読み取る力が求められます。

こうした「プレーの分析」＋「生徒さんの想いを汲み取る」技術は、私のテニス人生、そして、テニス以外の色々な人生経験の中で培われたもの。これから先も、もっともっと磨き続けていきたい強みだと考えています。

《トリプルス》として、私が生徒さんペアと共有するのは、ダブルスの戦略&戦術です。試合で使える戦術&戦略を、具体的かつ的を絞ってペア２人に伝えることはもちろん、常に意識づけを行い、モチベーションを高く維持させていくことも、《トリプルス》の一員である私の大切な役目なのです。

ペア２人だけで悩むよりも、２人で話し合いをするよりも、コーチを交えた方が良い場面は多々あります。《第３の人物》でなければ言えない言葉がある！　共通の戦略&戦術にのっとって、ペア２人が心ひとつにして試合に挑む意識を高めるような言葉を選んで声をかけ、必要があれば軌道修正も行います。ペア２人が常に同じ方向を向いて、プレーすることが大切ですから……。

もちろん、どんなペアでも《トリプルス》で共有した事項を忘れ、「無意識」になってしまう時はあるでしょう。しかし、あなたが「無意識」に配球したことで、ペアに返ってくるボールが厳しくなり、ペアばかりがミスってしまうことにもなりかねません。この場合、一見、ミスをしているペアが悪いように見えますが、あなた自身がペアのミスを誘引している可能性が大きいです。

こうした「問題の本質」について、あなたは気づいていないけれど、ペアは「あなたの配球に問題がある」と気がついている場合、２人の思いにすれ違い（ズレ）が生じます。２人ともが「問題の本質」に気づいていない時も、ミスや失点の原因に対してちぐはぐな見解を抱きがちで、これまたペア間でモヤモヤする要因となり得ます。

ペア同士で話し合って解なき答えを探すよりも、コーチが《第３の人物》として冷静に指摘したり助言したりする方が良いに違いありません。

「問題の本質」や「共通事項」を、ペアそれぞれが徹底して意識できるようになるまで、うるさく言い続ける存在は必要です。この役目をあなたかペアのどちらかが担ったら、当事者としてのさまざまな思いや感情がこみあげてきて、冷静に伝えることができなくなる。だからと言って、言いたいことも言わずに我慢したままでは、何も解決しないどころか、２人のダブルスが壊れてしまう……。ここが、ダブルスの難しいところですよね。

そんなときこそ《トリプルス》＝コーチの出番です！　２人が抱える問題に対して、具体的な動きや練習方法などを《トリプルス》のコーチが助言する。これならば、、２人とも素直な気持ちで受け止めることができると同時に、ダブルスとしての結束力が上がるので、大いにメリットがあるのです。

もちろん２人で話し合い、理解し合うことが大切なのは大前提ですが、もしも２人が壁に当たり、どうにも突破できない時や話し合っても何だか釈然としない時、信頼のおける《第3の人物》を頼ってください！

ダブルスでありながら《トリプルス》で挑むほうが、2人のダブルスはより強く、頼もしく、なにより楽しくなるはずです！

第2章

あなたを伸ばす練習法・戦略

——スキルアップのための処方箋——

過去を変えて未来を変えよう

普段スポーツをする機会がない方、走ることが苦手な方が初めてテニスをした感想は、

「ボールを夢中で追いかけていたら、たくさん走れた！」

「相手コートにボールが返った！」

「ネットやアウトをすると悔しいけど、決まったら嬉しかった！」

といったものではないでしょうか。

「ラケットでボールを打つって楽しい！」

「テニスって楽しい！」

と感じ、その素直な喜びからテニスを始めた方もたくさんいることでしょう。


ボールを打つ「球遊びテニス」は純粋に楽しく、それはテニスの魅力の一つです。しかし、ボールにも慣れ、打って走ることにも慣れ、試合にも出場して本格的にテニスの上達を目指そうとするならば「球遊びテニス」を続けているわけにはいきません。

まず、「上達を目指すテニス」と「球遊びのテニス」に大きな違いがあることを認識する必

要があります。

さて、その違いとは何なのか？　答えは、「ミスを反省する時間軸」にあります！

「球遊び」テニスの場合は、

●ネットした、アウトしたその時だけ反省するが、次にまた良いショットが打てると嬉しさでミスを忘れてしまう。そのためミスはその場限りの一時的な反省となる。

「上達を目指すテニス」の場合は、

●ネットした、アウトした場合、ミスショットの前の過程を反省し、反復練習によって修正しようと努力する。

簡単に言えば、このような違いがあります。

「上達するテニス」における反省とは、「そのショットを打つ前に「正しいフォーム」「打つ方向や軌道」をきちんとイメージができていたか」、ショットの「前の過程」を反省するということなのです。

イメージ通りのボールを正確に打つには、練習が必要です。習えば「知る」ことはできますが、そのイメージを常に「意識」してボールを打つ!! 自分のスキルとして「習得」するには、繰り返し繰り返しコツコツと地道に練習を行う必要があります。イメージを持ち続け、何度も正しいイメージを確認しながら、ショット練習を重ねる。「面白くない」と感じることも、「しんどい」と思うこともあるでしょう。しかし、「球遊びテニス」ではなく、「上達を目指すテニス」をするのであれば、このしんどい作業が欠かせません。

もちろん、球遊びを楽しむ時間も大切ですし、否定するつもりは全くありません。「気持ち良く打てた! 嬉しい」「イメージを持ってではなく感覚でラケットを振ったらガツンと決まった! 気持ちいい!(逆に、ミスした! 残念! 悔しい!)」そんな遊び心で楽しむテニスは、それはそれで良いのです。

ただ、それは《「球遊び」である》と自覚しておいてくださいね。テニスで上達を目指す方には、前述したように「球遊びテニス」と「上達を目指すテニス」の「違い」をきちんと認識し、理解していただきたいのです。

上達を目指しているはずが、気がつかないうちに「球遊びテニス」になっていたとしたら、早急に軌道修正すべきです。

◇上達を目指すなら正しいイメージをしっかり持つ

イメージを持たずに打って、たまたま決まって、ポイントが取れても、再現性がありません。その時々の、打ち終わった直後にだけ満足したり反省したりするのは、ただの「球遊びテニス」です。ネットした「その瞬間」を反省するのではなく、ボールを打つ「前」のイメージが弱かった（あるいはイメージが描けていなかった！）ことを反省することが必要です。つまり、「過去を振り返って反省する」プレーヤーだけが「上達した未来の自分」に出会えるのです。

基本は裏切らないという確信

「基礎」が大切である。そんなことは「耳にタコができるほど聞いている」と思う方もいらっしゃるでしょう。しかし、いや、だからこそ、何度でも伝えるべきなのです。

あらためて「基礎」とは一体なんでしょうか？　家の土台で説明すると分かりやすいと思います。土台が脆かったり手抜き工事だったら、上にどれだけ豪華な家を建てても寿命が短かったり、災害にすぐに影響されたりします。

ならば、人生における基礎とは？　自分が経験し、得られた信念、自分を作りあげる軸たる源である！　と、私は考えます。

では、テニスの基礎とは？

「クオリティの高いショット」があって、はじめてどんな戦略も実行できるので、基礎はショットだと言わざるを得ません。いくら熱心にゲーム中の戦略を考えても、しっかりとした基礎ショットが打てなくては、それは実現しません。つまり、「基礎」がなければ、プレーに広がり(幅)

を持たせることも、変化させることも応用させることもままならないのです。

では、戦略を作りあげることができる「クオリティーの高い基礎ショット」とは、どんなレベルを言うのでしょうか？

それは、「目的意識のしっかりしたボールを打つ」ことができるレベルを指しています。「打つ方向」「ボールの軌道」がしっかりコントロールでき、インパクト前のボールとの距離感を理解し、「各自の特性を生かし、無理に力を入れなくても鋭く、重いボールが自然と打てる」ようになることです。

「基礎」とはいうものの、マスターするのは簡単ではありません。時間がかかります。多大なる努力も必要です。しかし、この「基礎」がしっかりと自分のものになった時に、はじめて戦略が成り立ちます。

ダブルスにおいて、ペアとの戦略・作戦を成功させるためにも、各自の「基礎ショット」の向上は絶対に必要不可欠です！

オンリーワンの練習法

みなさんはいつもどんな練習をしていますか？　あるいは、これからどんな練習をする予定ですか？

たとえば、ボレー練習をするとします。よく言う「ボレスト」です。どのレッスン、どの練習でも必ずといってもよいほど取り入れられている、オーソドックスで基礎的な練習ですが、ある《意識》を持つだけで、あなただけの「オンリーワンの練習」にすることができます。

具体的に説明しましょう。

まず相手のストロークに対して、漫然と面を合わせ、リズムよくラリーを続けることを意識してください。ボールをあちこちに飛ばすことなく、ストローク側に返球し、ストローク側もテンポよく打ちかえせれば、気持ちよいですね。

これだけでも十分、満足感はあるのですが、さらにレベルを上げるなら、このボレストの中で「自分にしか打てないボレー」を見つけるようにしてみてください。そうすることで、練習のクオリティーや効果が劇的に増します！

この「自分にしか打てないボレー」を見つけるには、次の①②③を意識して練習する必要があります。

①自ら打つボールの角度、スピード、正確性を強く意識しながら、打つ

②自分の体格、癖、プレースタイルを把握し、①が実際にできるインパクトの位置やステップ、フォームを体感する（打球感を感じる）

③相手のボールの重さや癖に応じて、自分の返球を変えることができるようになる

「どのスピードで打てば、どのくらいのボールが返ってくるのか？」「どの角度で打つと相手の返球がどのように変わるのか？」を計算（体感）しながら打ったボレーこそ、「自分にしか打てない」ボレーです。あなたのみが発見し、体感できるものなのです！

それを強く意識し、自分のボールを自由自在にコントロールする目的で臨めば、一見、普通のボレストに見えていても、内容は断然違ってきます！　これこそが「オンリーワンの練習」です。

今日からはどんな練習も意識を持って、「オンリーワンの練習」に高めていきましょう！

ボレーの正しい感覚を身に付けよう

ある生徒さんから、次のような質問と相談がありました。

「ボレーはラケットを振らないと教わったことがありますが、それでは当てるだけのボレーになってしまいます。かと言って、アウトサイドインを意識すると、切るボレーになってしまい、ボレー&ストロークでボールが短すぎたり、長すぎたりして安定しません。ガシャることも多くて……」

それでは、ボレーの正しい感覚を解説していきます。

まず、ボレーは、ラケットの面でボールを飛ばすのではなく、スイングでボールを飛ばします。スイングが線になり、その中にボールを捉えるインパクトがあるイメージです。

理想的なスイングの形を右利きの方のフォアボレーで説明すると、レディーポジションを準備し、右足から左足に軸を移動した時にラケットが動きます！　その時にフレームが動いたその線がスイングの形です。スイングの中にボールを入れてみましょう！　そうすると、当てるだけにもならないし切るようなボレーにもなりません！

「当てるだけのボレー」でミスをしない方、「切るようなボレー」で返球している方も見かけます。２軍のままなら自分が好きな得意分野（ショット）で向かえばよいでしょう。それがずば抜けているなら勝てるはずです。

しかし、１軍では、それだけでは通用しません。よりハイレベルの舞台で勝てるボレー力とは、意図的に強弱のコントロールや距離のコントロール（深さ、浅さ、角度）をつけたボレーを打ち続けられる力のことです。

ラケットに当てるだけのボレーでポイントがとれて、勝てている場合には、そこから卒業するという発想は持ちづらく、なかなか切り替えるのは難しいかもしれません。しかし、戦う舞台のレベルが上がれば上がるほど、勝つためには、ボレーにも高い精度や抜群のコントロールなど、よりハイレベルなスキルが求められます。

しっかりコントロールするために、「スイングでボールをのせて運ぶ感覚」を自分のものにし、勝つための武器にしていきましょう！

上達に欠かせない3つのステップ

テニスプレーヤーである以上、誰もが上達したい一心で日々の練習や試合に臨んでいると思います。とはいえ、ただやみくもに練習し、試合に出場し続けても、残念ながらテニスは上達しません。上達する人、そうでない人の明暗を分けるのは、実は次の3つのステップなのです。

○ファーストステップ＝戦術やショットの精度を高めたいなら、練習中も常に《意識》を持ち続けるべき！

「ボールをたくさん打ったから……」
「たくさんレッスンを重ねたから……」
「たくさん試合に出場したから……」

そこに《意識》がなければ、上達するものではありません。日頃から、《意識》をもって練習していないショットや戦略は、当然、試合で自然とできるものではありません。わたしが常に皆さんにお話しする《ペアへの思いやり》も《意識》して。

○セカンドステップ＝《意識》を持ったうえで、《意識》している事を、意思を持って、やり続けること！

厳しい物言いかもしれませんが、百回練習したら百回とも《意識》を持ち続けないと時間の無駄であり上達はしない！

○サードステップ＝《意識》することを「習慣」にする！《意識》する事に「慣れる」こと！

ここまでできるようになったら、やり続けた練習を試合で使い、やったことに答えを出す！意識のある練習は確実にあなたを上達へと導きます！

せっかくの大切な時間と熱意を無駄にしないためにも、今すぐに、私の３ステップを始めてみませんか？

時間に対する意識を持とう

ダブルスにおいて、あなたがクロスラリーの最中に意識しているのは、相手の前衛に引っかからないよう、しっかりとクロスラリーをすることだと思います。ただ、ここで忘れがちなことがあります。それは、「時間をなくしてのクロスラリーになっていないか」という点です。

相手前衛にかからないよう、クロスにしっかりと返球している時や、そのラリーがテンポよく続いている時であっても、果たして《時間》をきちんと意識して打てているでしょうか。

もちろん、相手のストロークが強く、返球するだけで精いっぱいの時もありますが、普段から《時間》を意識したラリーを試みなくては、意味がありません！

《時間を意識する》とは、クロスラリーをしている時も、気持ちも体も「いつでも相手前衛に仕掛けられる状態でクロスラリーをする」ことです。この《時間の意識》は、テンポ良くクロスラリーができている時こそ、忘れがちだったりするのではないでしょうか？

そもそも自分が打ったボールの行方に気をとられているようでは時間を意識しているとは言えません。それは過去を振り返っていることなのです。

《準備》というのは、常に先々を意識し、張り巡らすものであり「時間をなくさない」ために必要不可欠な要素です。

自分がボールを打った後、いつまでもそのボールを見るのではなく、インパクトを迎えた次の瞬間から、対戦相手が打ってくるであろう配球を予想し、そのスピード、コースに対応するための体制に入ります。前に落とされても、深く打たれても対応できるように、フットワークで常に《準備》しておく。前衛に仕掛けることを意識せず、クロスに打っておこうというのは準備不足と言っても過言ではありません。

《甘い準備》（時間を失っている状態）から、その場しのぎでストレートに打っても、相手前衛は「待っていました！」と言わんばかりでしょう。《準備》が甘い状況では、相手の鋭い返球に反応することはできません！　一球はなんとか返せたとしても、「時間を失った展開」が待ち構えています。

これはストロークに限った話ではなく、ボレーにおいても同じことが言えます。ボレーの場合も、とりあえずクロスに打とうかという《甘い準備》（＝準備不足＝時間を失っている状態）で、ストレートに打ってみたところで、ますます時間のない状況になり、苦しい展開に陥るだけです。

◇常にストレートに打つ（仕掛ける）準備をしたうえでクロスに打つ！

◇常に《時間を意識》（＝心と体の準備、余裕）して、プレーする！

普段の練習から、簡単なボールを何気なく返球したり、とりあえず漫然とクロスに打つラリー、クロスボレーは止めましょう。すべてのボールに対して「時間をなくしていないか？」と自分に問いかけながら、常に「仕掛けられる」状態でのクロスラリー、クロスボレーを心掛けてほしいのです。

その意識で練習を続けていけば、きっと、あなたのダブルスの質、テニススキルは各段に向上（レベルアップ）します！

◇打った瞬間から、次への準備！

こちらもお忘れなく！　慌ただしいようですが、これが何より「自分の時間をなくさない」秘訣なのです。

試合に必要な力と勝利の質

坂田といえばテニスですが、実は野球観戦も大好きです！

試合の流れを追っていくと、テニスの試合と共通したエッセンスが見えてきて、これがまた興味深い！

野球では、初回、中盤以降（6回・7回）に得点が入りやすいと言われます。バッターはその日の初打席では、プレッシャーがかかりにくく、気持ちよくバットを振ります。その最初の勢いを抑えるべく、先発ピッチャーには、「初めからしっかりコースを狙える選手」が登板することが多いようです。

テニスでも、プレッシャーがかからないと、思いもよらない良いリターンが来て、一気に「流れ」が傾くことがあるため、サーバーは肩が温まるまで、肩が回り出すまで、と徐々に調子をあげるのではなく、「最初からしっかりとコントロールしたサーブを打つ」ことが必要です。最初からサーブが安定していれば、ペアは展開を作りやすくなります。

また、野球ではバッターが先発投手に慣れてくる中盤以降に、失点を防ぐためにセットアッパーを投入し、変化をつけます。テニスでは、選手交代ができないので、自分たちで変化をつけることが必要になります。しっかり相手を観察し、試合の流れを読み、自分たちがセットアッパーになるのです！

そして、いよいよ終盤。野球では、速いボール、キレのあるボールが武器の「抑えのピッチャー」を投入します。ではテニスでは？

そうです！　自分たちが「抑えのピッチャー」となるのです。試合の終盤に速いサービス、キレのあるボールをしっかり打つことができる人は、試合に勝てます！

そして、もうひとつ、勝利の質も考えなくてはいけません。例えば、野球の場合1軍と2軍があるように、テニスの試合にもレベルがあります。2軍で自分たちの得意なプレーやパターンで勝てても、1軍のレベルではそれだけでは通用しないのです。

野球もテニスも、より高いランクの試合で勝利するためには、相手の戦術やプレーを冷静に分析し、相手の苦手なことを仕掛けていく力が必要になってきます。調子があがるまで、とりあえず自分の好きなプレーをしよう、ではダメです。

最初から確実なプレーをし、中盤以降は変化をつけ、終盤には更に力強いサーブやショットで勝つ。この試合の流れを作る力が必要です！

試合との向き合い方

「弱者は結果で成長を判断する。強者は過程で成長する」と言われます。

では、あなたは試合の過程で成長できているでしょうか。

例えば、仕掛けることはしたか？

「余裕がなかったので、ストレートへ打ちませんでした」では、ダメ。劣勢であっても、やってみなければ、分からない！　とはいえ、ストレートに打つこと一つをとっても、「当たって砕けろ」では、せっかく試合にたくさん出場しても、成長することはできません。

では、どうしたら良いのか？　ここからが、重要ポイントです。

◇事前にパターン（決め事）を用意する！（ストレートへの返球も、このパターンの中のひとつの手段）

対戦相手に応じたプラン（通常のベーシックパターン・対戦相手に応じた多種多様なパター

ン）を作り、これらを臨機応変に変化させることが重要です。

その為には、「決め事」は必ず頭にインプットし、瞬時にアウトプットできるようにしておく必要があります。掛け算の「九九（くく）」をイメージすると分かりやすいでしょう。九九のように頭と体でパターンを覚え、練習を続けることが必要です。

そして、試合の中で、こうしたパターン（＝決め事）を使いこなせるようになりましょう。試合前には、練習したパターンのシミュレーションをすることも忘れずに。

このような姿勢で試合に臨めば、試合中にミスを悔いたり、攻めることに囚われることも自然になくなり、以前負けた相手に、同じパターンで負けることもなくなります！

「ダブルスは、トリプルスで臨む！」のが私の考え。よって、コーチは、パターンを選手に教える！　選手たちは、そのパターン練習を反復して覚えていく！　そして、試合に入ったら、どのパターンを使ったらいいかを考え、「実践することに集中する！」のみ。

これが、強者の「過程で強くなる」秘訣です！

心もウォーミングアップして挑む

「試合前の準備」と言えば、パターン練習であったり、ショット練習、ペアとのフォーメーション練習だったり、実際にコートの中で行う準備を考える方がほとんどだと思います。もちろん本番を想定した実践練習は大事なのですが、私はさらに、ペアとの心の準備もできているかと問いたい！

試合前には必ず自分の調子やペアの調子を見極め、試合に臨む目的、戦術等を確認しあい、リハーサルしておくべきだと考えています。

ペアと入念に打ち合わせを行い、心構えを共有しておくことはコートの上でなくてもできます。なんなら電話やオンラインなどを使ってもいいのです。時間も場所も選びませんから。長い時間をかける必要はありませんが、こうした時間を試合の前に必ず作っていただきたい！

実際にどんなことを打ち合わせて、ペアと気持ちを共有すればいいかは次のとおりです。

①試合前のペアと、自分のコンディションを把握したうえで、もし対戦相手がわかっていれば相手のタイプを分析する。相手は何が得意で、何が不得意（嫌がるシチュエーション等）な

のか、それに応じて自分たちのダブルスをどのように組み立てていくのかを相談しておく！

②ゲームスタートの1本目は、どのようなサーブにするのか、リターンは誰に仕掛けるのか、どこに返球するのか。最初の第1球について、ペアとあらかじめ決めておく！（決めておいても、実際に狙い通りに行かないこともあるが、それは気にしない！）

③できれば前半・中盤・後半に分けて、２人のダブルスのゲームプランを決めておく！

例をあげてみましょう。

○前半＝相手の様子を見つつ、ミスなくスローペースで展開するのか？
　最初から先に攻撃して一気にポイントを先行するのか？

○中盤＝前半での様子を見て、戦術を変えるのか？
　攻め続けるのか？
　敢えてスローペースで相手のテンポを崩すのか？

○後半＝ミスを抑え手堅くゲームセットにもっていくのか、攻めるのか？
　劣勢の場合は諦めず、それに応じた戦術を試してみるのか？
　優勢の場合はどうする？　等々

ゲームプランは対戦相手によって変わってくるので、「あらかじめ」というわけにもいきません。ゲームの中で、ペアと2人で臨機応変に判断していかなくてはなりません。

次に対戦する相手が、別コートで試合をしている場合、その試合は観察しておいたほうがいいでしょう。観察する際のポイントは、次の通り。

○自分たちより対戦相手が、レベルが高いか
○レベルがさほど高くないのか（試合慣れしていない感じである、ショットの精度が低いなど）
○レベルが同じくらいなのか

こうした条件によりこちらのプランも変わってきます。例をあげてみましょう。

○対戦相手のレベルが高い時↓敢えてこちらから仕掛け、先にネットを取る！（平行陣をつくる）
○対戦相手のレベルがやや低い時↓相手に仕掛けさせてみる。（前に誘いだし、足元に沈めるボールなどで、ローボレーをさせたり、緩めのボールを相手のバックハイボレーに送ったりして、わざと、1本ボレーを打たせてからの展開を考えてみる。ミスを誘う）
○同じくらいのレベルの時↓これはもう、「試合を楽しむ」ですね！　こういう好敵手と対戦するときは、「自分たちの得意パターン」「自分たちのダブルス」に終始徹する。2人で考え

た、前半・中盤・後半のゲームプランを試すチャンスと考えましょう。

また、試合中、「優勢」「劣勢」を判断するのに、勘違いしやすい、注意すべき点があります。例えば、自分たちが仕掛け、相手が「劣勢」になったものの、こちらが最後のフィニッシュポイントをミスしてしまい、ポイントを失っている場合は、焦って「劣勢」と考える必要はありません。こちらが「優勢」です。ただ、最後のフィニッシュの精度をあげる（ミスをしない）ことを意識し、そして、「今、私たちはポイントこそ失っているけど、「優勢」なんだ！」とペアとの共通意識を持っておくことが大切です。

「優勢」か「劣勢」か、チェックするポイントはほかにもあります。

対戦相手が「受け」になっている場合で、対戦相手が「ただ返す」ことに必死で、コントロールができていない場合はこちらが「優勢」。そのままのパターンで、こちらのフィニッシュミスだけに気をつければいいのです。

ただし、対戦相手の返球がきっちりコントロールできている場合はこちらが「劣勢」です。すみやかにゲームプランの変更をペアと相談する必要があります！

その他にも書き出したら、山のように状況やパターンが出てくるでしょうし、その試合で初めて直面するシチュエーションも出てくることでしょう。

2人で打ち合わせした内容や共有したいゲームプラン、対戦相手の分析など、ノートに書き留めておくのも有用です。あとで見返して、気づきや反省があればその都度加筆修正してブラッシュアップせていくこともできます。ノートの書き込みが増えれば、それだけ2人で話し合った自信にもなり、2人の財産にもなるでしょう。

考えばかりの、「頭でっかち」になってしまってはいけませんが、考えることは大切です。あとは試合前まで行ってきた練習を信じて、試合前には、心の準備の習慣をつけましょう!!

試合直前にやるべきこと

試合直前にやるべきこと。それは、
○必ず事前に「ダブルスの戦略」を考え、それに応じた練習をすること！

ペアと連携して「どのようなパターンの時にポイントが取れているのか？」「その得意な、あるいは目指しているポジショニング、パターンを作るには、どこに打ったら、どのコースにどのようなボールが返ってくるのか？」を理解しながら、練習をすること！　そして、その場合、次のショットをペアと話しあって2人の戦略を考える！

「自分たちのビジョン」を持って練習することが大切です。逆に、苦手パターンを把握することも、また大切です。「どのような配球をしてしまった時に苦手パターンになってしまうのか！」を検証したうえで、「苦手なパターンに持ち込まれないようにするには、どのような配球をするのか？」をペアと検証し、ダブルスの戦略に盛り込む。

ショット練習では、気持ちよく打てた快感を一番に考えるのではなく、意識するポイントを

10個以上持ち、「それが出来ているのか？　改善点は何か？」を常に考える習慣を持つこと！

それがダブルスの戦略に生きてきます。

ダブルスは、「なんとなくの流れで、エースが取れた！」「良い打球感で打てたら結果オーライ」ではありません。たとえ「勝てた！　優勝できた！」からといって、次につながらない経験では意味がないのです。

さぁ、これから、たくさんの試合が待っているみなさん！

それに向かって、今やるべきことをしっかりと意識して挑みましょう。

試合中の声かけを見直そう

あなたはダブルスのプレー中、自分がミスした時には「ごめん！」、対戦相手がショットを決めた時に「ナイス！」。そう声掛けすることが無意識の習慣になっていませんか？

もちろんダブルスはペア2人のコミュニケーションが重要ですから、声掛けは必須です。ただし、「ごめん！」も「ナイス！」も、プレーの過程を考えずに、ただミスやエースという結果に対する感情だけで使っているとしたら、要注意です。いつものクセで、反射的（無意識）に使っている場合、それらの言葉にいったいどんな意味があるのか、一度考えてみてください。

ゲーム中の結果とは、ポイントを「取る」か「取られるか」をしたときに生じるもの。「取る」ときもあれば「取られる」ときもある、それがゲームです。自分たちか対戦相手なのか、いずれがポイントを取ったにせよ、「過程を考えることが大切」です。

ゲーム中に結果だけを見て「ナイス！」と言うクセ、ポイントを取られたり上手くいかなかったときに「ごめん！」と謝り、落ち込むクセ。いずれも良い習慣ではありませんね。そのことに気づかずに、この先も反射的（無意識）にこれらの言葉を使い続けるなら、成長からはほど遠いルートを歩むことになってしまいます。
それは、ゲームの「結果」よりも「過程」や「内容」を振り返り、分析し、改善を試みる思考を放棄した状態になっているからです。

こうした場合の「ごめん！」や「ナイス！」は、意味のない言葉であるばかりか、良いプレーの障害となり、ダブルスの成長も阻んでしまいます。ミスをして「ごめん」と１００回繰り返すよりも、具体的に「今のは○○だったから、次は○○しよう！」という分析、提案をして、前向きにプレーをしたほうが、ペア双方にとって理想的だと気づいてほしい。

決して、謝ってはいけない！　褒めてはいけない！　と言いたいのではありません。反射的な言葉を発してうやむやにして終わらせるのではなく、互いに「共有事項」を認識したうえで「その時のプレーの何が悪かったのか？」「どの部分が良かったのか？」とプレーを振り返り、褒めたり反省したりすれば、今後につながります。

例えば、互いに「共通事項」をブレることなく意識しながらプレーをし、集中力が持続した時、時間の作り方が工夫されていたり、技術的な内容が素晴らしかった時、戦略が明確で、あなたもペアもそれぞれの役割を果たそうとベストを尽くした時、こんな時は、心からの笑顔と拍手で「ナイス！」と伝えるべきでしょう。

無意識に、いつものクセで「ごめん！」や「ナイス！」と口にしてプレーを完結してしまわずに、1ポイントごとにそのプレーに至った過程や内容を冷静に分析しましょう。そうすればペア同士、心の底からの「ナイス！」と讃え合えるだけでなく、対戦相手の素晴らしい戦略、ショットがいかに素晴らしいかも的確に感じ取る事ができるようになります！

対戦相手のプレーを「ナイス」だと感じられたということは、相手をリスペクトすることにもつながります。相手をリスペクトしていれば、今まではただミスをして「ごめん！」と凹んで終わらせていたプレーの中にも、対戦相手のナイスプレーに見習うべきポイントを見つけられるはず。つまり、自分やペアを責めることなく、対戦相手から学ぶことができて、一石二鳥というわけです。

普段なにげなく使っている声かけを見直し、安易な「ごめん！」「ナイス！」から脱却するだけで、あなたの目の前に広がる世界は変わってきます。

試合後には振り返りの習慣を！

試合を終えた直後は、「勝った、嬉しい！」「負けた、悔しい！」そんな感情が湧き上がってくることでしょう。それは当然のことです。ですが、その結果やそうした感情に「固執し過ぎる」ことは、テニス成長の妨げになり、よくありません！

私は生徒さんがどの試合に出るかを可能な限り把握し、いつも気にとめています。そして、必ず試合を終えた生徒さんに声をかけます。

「試合どうだった？」

でも、私は決して「勝った」「負けた」の結果を尋ねているわけではありません。もちろん、レディースの大会でのステップアップを目標にしている生徒さんが、ひとつ上のステップに上がることができた際には共に喜び、「やったね！　頑張ったね！」と一緒にはしゃぎ、今までのレッスンの成果を共に祝います。結果報告の「後」に続く言葉を待ちながら……。

何故なら、その「後」の言葉にこそ、今後のレベルアップへの意気込みが表れるからです。試合で生徒さんが何を感じ、何を学び、そして何を今後の課題にしたいのかが知りたい。それに向かって、これからも共にレベルアップしたい！　そういう想いで尋ねています。

負けた！　けれど、

「ペアと練習してきたフォーメーションができました！」

「0対5から、諦めず戦術を変えて1ゲームとれました！」

「ペアとの声かけ、意志疎通が前よりもできました！」

「ポイントを取られてしまう時は、こんなシーンでした！　だから次からこうしたい！」

勝った！　けれど、

「練習中の新しいフォーメーションが試せませんでした」

「フィニッシュのミスが多かったです。精度の高いショット練習をもっとしなくては！」

「相手のミスに助けられたけれど、こちらの積極的ポイントが少なかった」

優勝した！　けれど、

「ファーストサーブの確率が悪く、セカンドサーブで叩かれることが多かった」

「上のクラスでは、今のショットでは通用しないかも。だから、より練習に励みたい」

「同じような展開でポイントを取られることに気がつきました。そうならないようなフォーメーションを工夫したい！」

そう！　こんな言葉を待っています！

試合が終わったその直後から、次へのステップアップの道が始まっているのですから、くよくよしている暇はないのです。

負けたからといって、落ち込んでばかりいてはいけません。

優勝したからといって、喜びに浸っているだけではいけません。

この先も続く道を前にして、いつまでも試合の勝敗に固執し時間を止めてしまうのはもったいない！

前を向いて歩くか、うずくまってしまうのか。

そこが今後のテニス人生の大きな分かれ道！

みなさんには前者であってほしいです。

強いダブルスペアの定義

ダブルスに強い（＝テニスがうまい・ダブルスがうまい）ペアは、「一番得意とする」（勝つパターン・フォーメーション）を安易に使いません。ここ一番の大切な時に備え、「隠し玉」として持っているのです。圧倒的に勝っている場合などには、最後までこのパターンを使わないこともあります。

では、得意パターンを使わずに、どんな戦いをしているのでしょうか？　実は、そのパターン（勝利を分ける大切なポイント）をより効果的に使うために、「種をまいている」のです。では実際にどのような「種をまいている」のか、例を挙げてみます。

「センターにボールを集め、相手の意識をセンターに持って行く」↓そこでストレートを打つ！

「相手の前衛のセンター側にロブを上げ続け、足元にオープンコートをつくる」↓そこでボールの軌道を低くし足元にボールを沈める！

このように「種をまく」ことができるようになるためには、「考え」を持つ、「意識」したボールを打つ、を日頃から行うことが大切なのです。

もちろん、練習会での試合も、この「考える」＝「意識」したボールを打つ実践練習の場ととらえ、そうした気持ちで臨むことが大切です。その意識したボールでパターンを作り、「種をまける」ようにすること！

この「種をまく」パターンを「引き出し」としてたくさん持っているペアこそ強い！　なぜなら、「種をまく」ことによって、「ここぞ！」の大切な場面で、「一番得意なパターン」を出すことができるからです。

自分たちが「ここぞ！」の場面で使うクオリティーの高い「一番得意なパターン」は何であるか？　それを使うためにどんな「種まき」をすればいいか認識し、それを使いこなす技術を習得しているペアこそ強い！　ダブルスがうまいのです。

是非、このことをペアと共に考え、練習をしてください。

「本当に強い」ペアになるために。

自分たちのプレースタイルを把握する

2人の強みを生かすために、あなたは自分のプレースタイルをしっかりと把握できていますか？

自分の得意なプレー、シングルスにおいてのスタイル、ペアと作り上げるダブルスにおいての2人のプレースタイルを、お互いに知っておくことはとても大切です。これを把握したうえで、自分たちの個性を生かし、攻撃をメインにするのか？　守備をメインにするのか？　を決め、自分たちのプレイスタイルで試合を戦う！

何も把握せずに試合に臨むのと、これらを把握したうえで試合に臨むのでは、今後の2人のダブルス、そして自身の成長に大きな差がつきます。

まず、自分たちの力が一番発揮できるプレイスタイルは、「攻撃メイン」スタイルか、「守備メイン」スタイルか、それとも「攻撃＋守備」のミックススタイルか、を見極めます。さらにミックススタイルの場合、ペアのどちらが攻撃し、どちらが守備をするのか話し合って決め、練習や試合を通してそのスタイル、組み合わせが有効かどうかを確認しましょう。

そのうえで、ゲームプランを組み立てます。つまり、自分たちのプレースタイルを最大限に生かせる得意パターンを確立するわけです。この得意パターンを共通認識したうえで、練習を通してその得意パターンを「極め」ます。「極める」には、反復練習が欠かせません！「極める」ことができれば、試合の緊張感の中でも、その得意パターンを自在に使うことができます。たとえ失敗したとしても、「これが自分たちの得意パターンなのだ。次こそは！」と、萎縮せず積極的にトライすることができます。このトライが「決して間違っていない」と信じることができてこそ、迷いのない安定したプレーにつながるのです。

細かい戦略（パターン）とは、ペアと２人で作り出す、いわばオリジナルとも言えるもので、本当に多種多様。それぞれのペアによって異なり、一般的なセオリーを越えた、まだまだ多くの新しいパターンが出てくる可能性があります。

それを踏まえたうえで、タイプ別に戦略（パターン）の1例をあげてみます。

例）相手にロブを上げ、そのボールが短くなり、スマッシュされる時のポジショニング

「スマッシュを受ける瞬発力と、打ち込まれた時のラケットの面使いが得意な攻撃タイプ」

リスクを恐れず、敢えて前気味のポジションで相手の対面に入る（サッカーでいうと攻撃側の対面に入りパスを回せなくするようなイメージ）

←

これによって、相手に、「打ち込んでも拾われる！」「チャンスボールへの対応が上手い！」という強烈なインパクトを与え、「しっかりと打ち込まなくてはいけない」というプレッシャーにつながり、ミスを引き出す可能性がでる！

対面にポジショニングすることで、相手はボールを奪いにくくなり、結果、こちらからの「仕掛け」につながるというわけです。もちろん、このポジションならではのリスクを承知のうえでのプレーなので、相手に打ち込まれた場合も一喜一憂することなく、プレーすることです。

相手のスマッシュ（攻撃）からのカウンターを仕掛ければ、相手のメンタル面、プレー面においても、ある種の脅威を与えることができる！　ただし、このポジショニングが全く通用しない場合の次のポジショニングも頭に入れておきましょう。

「ゴールキーパーのように、下がり気味のポジションで広く守備するタイプ」

ひたすら粘り強いプレー広く守備をする事で、攻撃タイプで引き出せたような相手のミスは期待できないが、根気のある粘りのプレーで、相手に「どれだけ打っても拾われてしまう！」というプレッシャーを与える

←

「もっとコースを狙う必要がある」と思わせ、サイドアウトや無理な攻撃（力んだ攻撃）を引き出すことができる！


さて、あなたは、また、あなたとペアは、どちらのタイプでしょうか？

どちらが正解という決まりはありませんが、私は、後者のプレースタイルです！

その他にも、

「クロスに仕掛けるタイプ」

「ストレートに仕掛けるタイプ」

に判別して分析する方法もあります！　自分達のプレースタイルはどうなのか、自分たちの強みはどこにあるのか、ペアとの共通認識をしっかりしておくことが大切です。

試合では、どういう強みを前面に出してプレーをしていくかが大きな鍵となります！

◇きちんと、自分たちの強みと方向性を話しあう！

自分たちの強み＝プレースタイルはどのようなものかを試合に臨む前にもう一度確認してください。この重要ポイントを押さえているペアこそ、最強のダブルスペアへと成長できます！

弱点の克服も、もちろん大切ですが、まずは、せっかく備えている個性や「強み」を生かしましょう！

ポテンシャルを更に引き出す！

２タイプの前衛スタイル

ボクシングのスタイルの話題から自分のテニスのプレースタイル（特に前衛での動き）を分析してみましょう！

ボクシングには、大きく分けて、「ボクサーファイター」と「ブル・ファイター」２つのプレースタイルがあります。

前者の「ボクサーファイター」スタイルとは、細かいフットワークと計算された技術を使い、対戦相手のダッキングやウェービングをよけつつ、カウンターやＫＯを狙うタイプ。相手にわざと仕掛けさせ、攻撃させて、ここぞ！という時に鋭いカウンターを放ちます。

一方の「ブル・ファイター」とは、ひたすら前進し、一歩も退かず、とにかくガンガンとパンチをしていくタイプ。もともと、「ブル」とはオス牛を意味します。オス牛が、まっしぐらにツノを突き上げ、突進していく姿をイメージすると分かりやすいと思います。

テニススタイルでいえば、ネットの前でフェイントをしたり、相手を打ちにくくする。飛んでくるボールに対し、「躱す（かわす）」ことをしつつ、戦略でじわじわ相手を追い込み、甘くなったボールを決めるのが「ボクサーファイター型」。

飛んできたボールに対し、ひたすらブロック&アタックをし、ひたすら、前進！ ガンガンと前で打ち続ける、まさに「牛のように……」（迫力満点ではありますが……）というのが、「ブル・ファイター型」。


では、どちらのタイプを目指すべきでしょうか。ここまで本書を読んでくださった方なら、「ボクサーファイタースタイル」を目指す方が、よりレベルの高いダブルスプレーにつながることをお分かりいただけるでしょう。

私はいつも「仕掛けることが大切」とお話ししていますが、これは、相手に攻めさせて、カウンターで打つ「ボクサーファイタースタイル」の攻撃＝「仕掛ける」を意味しています。「ボクサーファイタースタイル」で戦うには、技術を要します。ボールの配球（コース・緩急）をコントロールしつつ、組み立て、ペアと共にポイントを取るスタイルだからです。

一方、「ブル・ファイタースタイル」で戦う場合は、それほど、技術を要しません。ある程度ボレーができる必要はありますが、いわば「気合」だけでボールを叩いたり、打ち返したり、「突進あるのみ！」のプレーをすればいいからです。

ただ、頭で理解していても、瞬時にボレー！　となると、反射的に反応し、つい「ブル・ファイター」になってしまう方も多いのでは？　今日の試合、今日のテニスの練習、普段の形式練習、現在のあなたのプレースタイルを振り返りましょう。

さて、あなたはボクサーファイタースタイルのプレーを目指していますか？

テニスは時間を〝奪い合う〟スポーツ

テニス……特に競技テニスにおいては、「相手のミスを誘う」「自分のミスを減らす」「戦略」「エースを取る」等々、「勝つため」に必要な要素を表現するのに、これらの言葉がよく使われます。とくに使用頻度が高い言葉が、《時間》。テニスは《時間》を奪い合うスポーツだと言うことができます。

日頃、私のレッスンを受けてくださる生徒さんは、私が生徒さんのショットに対し、「あっ！今のは自分の時間を失くしてしまったね！」と、指摘するのをよく耳にすると思いますが、「え？時間？」と首を傾げる方もいらっしゃるのではないでしょうか？

少し噛み砕いて説明していきます。

「判断するまでの時間」
「自分のポジショニングに戻る時間」
「練習通りのフォームで打つための時間」

これらの《時間》を失った（あるいは全く考えない）時にミスは発生します。つまり、自分の

《時間》をなくさず、逆に、相手の《時間》を奪うことが、勝つための戦略の要となってきます。なので、日頃の練習に《時間》という視点と意識を持って臨むことが必要です。

例えばラリーをするなら、「ただボールを打つのではなく、《時間》を意識して行う！」ようにしましょう。では、《時間》を意識したラリーとはどんなものなのか。

まず、ポジションに戻り、自分の態勢を整えたうえで、今、自分には《時間》があるか？ ないか？ を判断しながらラリーを行いましょう。

《時間》がないと判断したのであれば「時間をつくるボール」を打ち、ポジションに戻れるようにします。「戻らなければいけないポジションがある事を感じながらショットを打っているか？」常に自分に問いかけ確認します。同じラリーをしていても、「戻らなければいけないポジションがある」ことを意識できているか、そのための《時間》を意識しているかによって、大きな差が出ます。

また、ラリーとは別にショット練習を行うことも大切です。このショット練習がベースにあることで、ラリーの時に、感覚頼みではなく、《時間》を意識することに集中できるようになります。「これは、ショット練習なのだ」という意識を持ってショット練習に集中しましょう。自分の《時間》を意識し、「時間を失った」か？「時間がある」のか？ を感じながらプレーができるようになってこそ、〝相手の時間を奪う〟テニス（戦術）ができるようになるのです。戦術が「攻め」なのか「受け」なのか、状況が「練習」なのか「本番」なのかにより、どこに打つかはケース・バイ・ケースですが、コントロールする場所を設定し、状況をしっかり決めて練習することが大切です。これも《時間》の意識同様に、しっかり練習に取り入れたい要素ですね。

そして、こうした日頃の練習の成果が現れるのが「試合」です。試合は練習したことがすべて出るので、日頃、本章で書いた要素をしっかりと取り入れ、意識して練習に臨んでいるのなら、試合後の反省は、メンタル面だけで良いと私は思います。

ここでいうメンタル面の反省とは、「試合でしか味わえない心の動き」の振り返り（＝反省）のことです。試合中のメンタルは、日頃の練習でどれだけ意識しても、やはり実際の試合の舞台でしか「練習」、あるいは「訓練」できません。ですので、試合後こそ大いに反省し、色々と振り返ることに価値があります！

練習に、是非、《時間》の意識を取り入れてみてください。決して漫然とではなく、ラリー中のあなたが打つすべてのショットにおいて！

今あなたが打ったショットは、自分の時間を失くすショットになっていませんか？

もうひとりの自分の役割

みなさんは《ゾーンに入る》という言葉をご存じでしょうか。初めて聞くという方に向けて説明すると、

《ゾーンに入る》＝「極限の集中状態にある」ことを言います。

テニスでいえば、次のような状態です。

「すべてのショットが思うがままに決まる！」
「相手の動きがしっかりと見えており、次に打つべきオープンコートまで分かる！」
「ボールの軌道やスピードを見極め、（時にはスローモーションのように見えることもあるそうです）、それに応じた動きが瞬時にできる！」
「周囲の雑音が全く耳に入らず、自分・コート・ボール・対戦相手のみに完全に集中している！」

よくトッププロの試合で耳にする言葉ですが、実は、私たちも《ゾーンに入る》ことができます。ただし、そのための魔法のような方法があるわけではなく、日頃の入念な「準備」こそが、《ゾーンに入る》唯一の方法です。

これまで「意識をもってボールを打つ」ことの大切さを説いてきましたが、ここで、「もうひとりの自分」からの視点を持つことの大切さをつけ加えておきます。自分を客観的に見る事ができている時は集中できている時ですが、自分を客観的に見るのは、なかなか難しい。

そこで「もうひとりの自分」を登場させるのです。

では、この「もうひとりの自分」は、具体的にどのような役割をしたらよいでしょうか？

①構えている時、自分がどのように対戦相手に構えているか、確認する！

②相手が打とうとしている時、次のオープンコートはどこかを見極める！

③自分のフォームを毎回確認すること！

ショットのイメージを明確にし、それを「もうひとりの自分」が、見ているかのように確認する。この練習を重ねていくと《ゾーンに入る》ことができるようになります！

◇イメージを明確にする↓ショット↓もうひとりの自分が確認

どの試合においても《ゾーンに入る》ためには、どこにどのように打つかをイメージし、ボールを打つ前に「もうひとりの自分」に改めて確認させることが必要です。そうすることで、余計な不安や邪念に邪魔されることなく、《ゾーン》＝（極限の集中状態）に入ることができます。

テニスは楽しいスポーツです。試合ももちろん楽しんでいただきたいです。

さらには《ゾーンに入る》感覚を是非体験していただきたい！　もっとテニスが好きになる！

もっとテニスが楽しくなるはずです

今日、今！　この瞬間から「もうひとりの自分」を登場させましょう！

躱《かわ》すプレーからの卒業！

このタイトル、かっこいいと思いませんか⁉ 実はこの言葉は、私が生徒のAさんから相談を受け、その対話の最後に生徒さんの口から出たものなのです！ この章ではそのやり取りを対話形式で再現します。なぜ、躱《かわ》すプレーがよくないのか、皆さんもAさんと一緒に考えてみてください。

A： 相手のサーブが早くて対応できず、前衛にポーチされてしまいます。それがプレッシャーでリターンミスが続いてしまいました（涙）。こういう場合の戦略ってありますか？

坂田： まず、前衛を避けようとして、ストレート・アングル・ロブを打ってなかった？

A： あ！ 打ってました。

坂田： 避ける＝躱《かわ》すと、（次のプレーが）劣勢から始まるから良くない！

A：なるほど……。始終、躱《かわ》してました（笑）。

坂田：前衛を躱《かわ》せたとしてもミスにつながり、確率が悪いよね。

A：確かに……。初めから逃げ腰だと、なんだかバタバタしてしまって。やはり劣勢から始まるイメージですね。

坂田：そう！　では、戦術として何をしたら良いか？

A：逆に前衛に打たせる？

坂田：おーっ、素晴らしい！

A：意外に試合中には思いつかないものですね。余裕がないと、「わざと打たせる」という発想になれませんね。確かに、できるかできないかは別として、前衛に打たせる選択肢が頭にあるのとないのでは全然違う。

坂田：その通り！　ペアに下がってもらいセンターに打つ！　ストレートに打てば、相手が待っていたら角度がつく。相手はダブルバックになった時点で角度をつけたがる。そこで、角度のないセンターを選択だね！

Ａ：ペアが少し下がるのでなく、完全なダブルバックですか⁉

坂田：ダブルバックです！　センターに打つことで相手が角度のつかないボレーをしてきたら、まずはストローカーに打ち、対戦相手の得意パターンではないところからスタートする！

Ａ：なるほど！　確かに急にダブルバックになったら、えっ、どこに返球しよう？　となりますよね。

坂田：そうそう。相手のパターンにもっていかないように考えることが大切！

Ａ：　ダブルバックの練習もしたほうがいいですかね？

坂田：　ダブルバックは有効な場面が多い！　例えば相手がロブを多用してくる場合、最初から2人とも下がっていれば、ロブで崩されることはないよね？

Ａ：　ロブといえば、リターンにロブを選択するのもダメですかね？　弱気だと浅くなって叩かれるからダメなんでしょうか？

坂田：　ロブが悪いわけではなく、躱《かわ》す気持ちを持たないことが大事！

Ａ：　あ！　なんか分かってきました。ペアに、「リターンが前衛にひっかかるかもしれないから下がって」と言うのはダメ。それは躱《かわ》す、劣勢からのスタートになるから。「前衛にわざと打ってみるから、ダブルバックのポジションで！」と言うのが、取るべき戦略なのですね！

坂田：　その通りです！

Ａ：　同じようにペアに下がってもらうのでも、この２つは全然違いますよね。

坂田：　そう！　まずスタートの意識が違う。

Ａ：　なるほど。目指すは「躱《かわ》すプレーからの卒業」って感じですね！

坂田：　躱《かわ》すプレーからの卒業！　かっこいい！

Ａ：　がんばります（笑）！

今回は、相手のサーブが良い時のリターン戦略の内容でしたが、「相手を躱《かわ》す気持ちをもたないこと」「劣勢からのスタートにならないこと」「対戦相手の得意でないパターン、自分たちの得意パターンを作る戦略を持つこと」が大切です。これらは、リターン以外の様々なシーンでも生かせる大切な心構えだと思います！　そして、戦略は試合前によくよく練っておくのが肝心です。

強いダブルスペアが実践していること

ダブルスで勝つためには、３つの重要なコツがあることをご存じでしょうか。


１つ目は、「常にペアにパスを回し続けること！」

２つ目は、「常に自分たちが主導権を持ち続けること！」

３つ目は、「常に自分たちのパターンを意識し、そのためのショット練習を怠らないこと！」


それぞれ掘り下げて解説していきたいと思います。

まずは１つ目めの、「常にペアにパスを回し続けること」について。「常に」ペアのところに浮き球や決め球、２人の展開を進めやすいボールが飛んでくるように、相手コートに配球することが大切です。良い球を打ったと思っても、それが本当に良い球なのかは状況によります。相手が嫌がっていなかったり、相手からの返球にペアが慌てたりするようでは、良い球ではなかったのかもしれません。自分が打って心地よい球（＝ひとりよがり）ではなく、「常に」ペアのもとに返ってくる球をイメージしてプレーすることが重要です。

続いて、2つ目の「常に主導権を持つこと」について。どんな状況であれば、あなたとペアが主導権を握っていることになるでしょうか?

例えば、対戦相手が時間を奪われて返球している(コントロール力が著しく低下している)のであれば、対戦相手が思い通りに試合を運べない状況を作ることができているので、「自分たちが主導権を握っている」と言えます。

3つ目の、「パターンを確立してショット練習を欠かさないこと」について。実はこれが最も重要なのです。

なぜなら、どんな戦術もパターンも、ショット練習がおろそかであれば、実現するのは難しいからです。これだ! と思える自分たちのパターンを確立しても、ショットのクオリティー(精度)が低ければ、パターンを実行できず、確実なポイント奪取につなげることができません。ダブルスで勝ちたいなら、繰り返し繰り返しショット練習を行って、ショット力を磨くようにしたいものです。

ダブルスに燃えるみなさん!

どうかこれら3つの鉄則を強く意識し練習を行い、試合に臨んでみてください。

売れるモンブラン、売れないモンブラン

さて、皆さんが、とっても美味しいモンブラン作りの職人で、さらにそれを販売する販売員さんでもあると考えてみてください。

まず美味しいモンブランの名人になるには、試行錯誤、常に美味しさにこだわり、追及し、最高のモンブランを作る腕前を磨く過程が必要ですよね。テニスでいえば、クオリティーの高いショットを持っていることと同じ。修行を重ね、技を習得する必要があります。クオリティーの高いショットは、毎日の修行（練習）でしか習得できませんから。

では、その自信満々の美味しいモンブランを販売するとなったらどうでしょう。モンブランを30分で売ろうとするのと、1日かけて売るのでは何が違うか？

まずは後者。1日かけて売る場合、人件費、光熱費がかかるうえ、体力、気力も消耗します。何より時間がたてばたつほど、せっかくの作りたての美味しいモンブランの「鮮度」が落ちてしまう！　一方、30分で完売したなら、鮮度が高い美味しいモンブランをお客様に提供できるうえ、1日かけて売ることで生じるロスを削減できます。つまり、テニスで言えば、早い展開（モ

ンブランでいう鮮度の高いうちに）戦術を使う方が、断然お得！　ということになりますね。

では、早い展開をする（30分でモンブランを完売させる）ためには何が必要か？

「販売前に、入念にモンブランの宣伝をする」

「宣伝をする前に、どのようなアピールをどのようにすると効果的かを考え、工夫する」

「立地条件や人通りが多い時間等についてしっかり分析し、あらかじめ天候やハプニングの対応策まで用意しておく」といったことでしょうか。


これらの前準備は、テニスで戦術を「前もって」「じっくり」考えることと似ている！戦術を入念に練り上げてこそ、培ってきたクオリティーの高いショットを 試合で発揮できるのです。モンブランが美味しければ美味しいほど、売るための戦略を考えなくては勿体ないのと同様に、しっかり練られた戦術があってこそポイントを早く取る事ができるのです。

逆に1日かけて販売するのは、「とりあえずクロスラリーをしてから考えよう、打てるようなら打つ」というように、相手のミス待ちでラリーを長く続けているペアのようなもの。試合が始まってから、「あぁ、どうしよう、こうしよう」と戦略を練るようでは、遅い！　これでは、モンブランがどんどん腐っていってしまいます。私は早く、美味しいモンブランを食べたいです（笑）！

では、戦略にはどんなものがあるか？

例えば、

「ボレーでは、ストローク側に深いボールを打つのではなく、短いボールを打つ」

「常に相手の足を止めるための準備を早くする」

「常にストレートに打つ準備をする」


その他にも、相手のストロークが自分たちより上回っているとき、打ち方をスライスに変え、跳ねないボールを打つなど、対戦相手の特徴により戦略は違ってくるので、練っておくべき戦略はもう数え切れないほど。これは、前述のモンブランを売る前に効果的な宣伝、分析、対応策を考えることと同じですね！

試合に臨む前に、ペアとこうした戦略を練ることは絶対に必要なことであり、また、テニスの楽しさ、醍醐味の一つとも言えましょう。

まとめると、次のようになります。

○美味しいモンブランの職人になる＝修行、練習でクオリティーの高いショットを磨く

○モンブランの鮮度が落ちる前にモンブランを提供する（美味しさを最大限に生かす）ために
準備をする＝練習の過程・試合前に「戦略をしっかり練る」

じっくり練られた戦略こそクオリティーの高い戦略と言えます。そして、このじっくり練られたしっかりした戦略があってこそ、自信を持って早い段階で「仕掛けるテニス」ができるのです。

これで、モンブランはすぐに完売！
どうぞ、美味しいモンブランを召し上がれ！

第3章　ベストパフォーマンスを引き出すメンタリティー

——スキルアップのための処方箋——

感謝の気持ちを忘れない

《基礎の大切さ》は当たり前すぎて、いつもは意識することがないかもしれません。それと同様に、日頃、忘れがちなのが《感謝の気持ち》です。

テニスの試合に出場し慣れてくると、試合ができて当たり前だと思うようになってきます。さらに、勝ち負けたにこだわり過ぎて、最悪の場合には試合に出ることがストレスになり、本来の目的（スキル・経験値アップ）を見失ってしまう方も出てきます。ストレスの高い状態が続いたせいで「試合になんてもう出たくない」なんて、生徒さんから悲しい相談を受けることも少なくありません。

本当に心が折れてしまう前に、一度、深呼吸をしましょう。本書を読んでみるのもお勧めです。あなたが普段当たり前だと思っていることが実は当たり前ではなく、ありがたいことなのだと気づくきっかけになればうれしいです。

「天候に恵まれ、無事に試合ができた！　ありがたい！」

「健康でテニスができる！　ありがたい！」

「ダブルスを組んでくれるペアの存在！　ありがたい！」

「試合で戦える対戦相手がいてくれる！　ありがたい！」

「さまざまなプレースタイル、個性の方と対戦できる！　ありがたい！」


そんな風に、ただ「コートに立てることが幸せ」だと思えた時に「悔いのない試合」ができます。

《感謝の気持ち》があれば、たとえ負けて悔しくても、改善点しか見当たらないにしても、試合が終わった後は清々しいものです。ゲームセット後には本当に心のこもった握手をしましょう！　感謝の気持ちを持つことは、心の安定につながるわけですから。


そして、その《感謝の気持ち》や経験は必ずテニスの活力となって自分に返ってきます。大切なポイントを取りきる《冷静さ》にも繋がります。

「テニスができることが嬉しい！」「ありがとう！」そう思える瞬間そのものが、幸せな瞬間ではないでしょうか？　テニスでも人生でも《感謝の気持ち》を持つことが、幸せを呼びこむ秘訣かもしれませんね。

今日もテニスコートへ向かうあなたへ問いかけたい！

「何か忘れ物はありませんか？」

「《感謝の気持ち》は持ちましたか？」

相手を敬い、謙虚な気持ちで！

テニスの試合は、サッカーやバスケット、ラグビーのように対戦相手との直接的なボディーコンタクトはないものの、やはり、コートの向こうにいる相手との駆け引き、対戦でゲームが進んでいきます。

「練習通りに上手くいかない」「ポイントが取れない」「相手のボールが甘いのに自分のミスがでた」等々、思い通りにいかず、イライラしたり、意気消沈したり、焦ったり、萎縮してしまったりすることも多いでしょう。

そういう時こそ、この言葉を思い出してください。

◇対戦相手をリスペクトする！

そもそも、私が一貫して皆さんにお伝えしていることは、「いつ、どんなときでも、しっかりとした意思（意識）を持ってボールを打つこと」です。どこに、どのような速度で、次にどんな展開を作るために、このボールを打つのか？　それを意識して打ったボールならば、例えミスしても、（狙いどおりにいかなくても）問題ありません。トライ・アンド・エラーの発想です。

その結果、ポイントを失ったとしてもＯＫと考えてよいのです！

逆に、何も考えなしに打ったボール（意思・意図のないボール）で仮にポイントが取れたとしても、意味がありません。

動画や実際の練習を見ていただいた方は、私がすぐにラリーを止め、

「今のはどこに打とうとしたの？」

「次にどんな展開を考えたの？」

と、生徒さんへの確認を頻繁にしている様子に気がついたかと思います。

漫然と打つのと、「意識を持って打つ」のでは、テニス特にダブルスでの上達度に大きな差がでます！

では、試合中に「意識を持ったボール」を打ったにも関わらず、ポイントを失ったり、逆に攻撃されてしまった時はどうするのか？

そうです！　そういう時こそ、「相手をリスペクト」するのです！　くよくよする必要はありません。

「対戦相手がこちらの動きを良く見ていたよね！」

「反応が早かったよね！」

「こちらのミスを誘うようなボールの配球をしてきたよね！」

「試合慣れしているよね！　さすが！」と考えるようにしてください。

　逆に自分たちが「意識を持ち」、それが成功した時は、気持ちよく、ペアと大いに盛り上がることでしょう。

「意識を持ってボールを打つことによって、得意な陣形でポイントがとれた！」

「こちらの狙い通りになった！」と。


　しかし、ここで、集中力を切らしてはいけません。「意識したボールを打つこと」「考えのある配球をすること」をやり続け、「習慣にする」ことこそ大切なのです。

　そのためには、謙虚になること必要があります。試合中に、「意識したボール」を打つことは、「もはや、当然！」と思えるようになってください。

　そして、そのポイントがとれた時にも、「相手がミスをしてくれたからポイントがとれた」「相手のボールがアウトになったけれど、良い切り返しをしてきた。インであれば、こちらがポイントを失ったかも」と考える謙虚さも必要です！

あなたは、試合中、
「ポイントを取ることにムキになって、意思のないボールを、ただただ打っていませんか？」
「自分のほうがレベルが上なのに！　そう思って、イライラした感情に縛られていませんか？」
「作戦どおり意思ある配球でポイントを取れたからといって、必要以上に有頂天になっていませんか？」

悔しさや苛立ち、優越感……それは、当たり前に現れる感情です。

でも、その前にまず……「相手をリスペクトすること」「常に謙虚な気持ちを持つこと」を意識してください。これは、試合中に感情に左右されず、常に客観的にいられることの秘訣でもあります。

対戦相手と互いにリスペクトし合えたなら、きっとあなたやあなたのペアにとって、その試合はより楽しく充実したものになるでしょう。

ゲームセットでは、心からの握手ができるはずです！

ライバルとはウインウインの関係を！

「ウインウインの関係」、それは、「相互利益をもたらす関係」のこと。本当に互いに愛情があり、共に過ごすことでエネルギーをチャージできる、癒される関係。ビジネスにおいて、互いに利益が発生する関係。いろいろなシチュエーション、対人関係でよく耳にする言葉です。

相手との関係に「自分にとって利益があるか？」と考えることは、やや「したたか」であり、ビジネスライクな響きがあるようにも感じます。もちろん、利益など考えずに、気の合う仲間や家族と過ごすのがいちばん「幸せ」なのかもしれません。私も実は、そういうタイプの人間です。

でも、時には少しだけ、「したたか」に、ちょっとクールな考え方として、この「ウインウインの関係」について語ってみます。

◇ダブルスにおける対戦相手とは、実は「ウインウインの関係」である！

あなたは、このことを感じながら試合に臨んでいるでしょうか？

確かに、試合である以上、対戦相手は倒さなくてはいけない「敵」ではあります。でも、戦う相手！　負けたくない相手！　と敵愾心を燃やすことから、少し考え方をシフトしてみると、あることに気がつきます。


試合で対戦相手から得るものは、「勝利」か「敗北」だけではありません。

あなたは、対戦相手と対峙したとき、普段のテニス仲間のプレーや普段のレッスンで練習しているパターン、いつも共に練習しているパートナーの動き、そうした馴染みのあるボールやパターンとは全く違う「パターン」や「配球」「ゲームの進め方」「仕掛け方」「ボールのスピード」「ボールの質や癖」を、対戦相手から感じるのではないでしょうか？


普段、ゲームをすることのない相手と対戦する！　未知なる相手とゲームをする！　これは、普段のレッスンやゲーム形式では得られない、貴重な経験をもたらしてくれます。

それは逆もしかり。対戦相手は、あなたのボールやプレーに大いに刺激を受けるのです。普段打ち合うことのない相手とラリーをする！　ボレーで駆け引きをする！　これは互いに大きな刺激となり、その後の疑問や課題を考えるきっかけになるのです。

つまり、テニスのスキルアップにおいては、対戦相手とあなたは「ウインウインの関係」であるのです！　こう考えると、自然に対戦相手への「敬意」や「感謝」の気持ちが湧いてくるのではないでしょうか？

対戦相手がコートにいなくては、ゲームはできません。緊張感のなか、互いに刺激を受け合い、スキルを高め合うことができるのは、対戦相手がいてくれてこそ！

この「ウインウインの関係」に気づけたとき、ゲームセットでの握手は、心からの熱い感謝のこもったものになるでしょう。

さぁ、明日はどんな対戦相手が待ってくれているのでしょう。対戦相手は敵ではありません。あなたの心次第で、最高の「ウインウインの関係」を共有するプレーヤーになるのです。

ゲームを楽しむ気持ち

みなさんにとって、テニスの試合とはどういうものでしょうか？

「緊張する……」

「勝ちたい！」

「負けたくない！」

こうした答えが返ってくるのも当然でしょう。


最初にお伝えしたいのは、「テニスの試合とはゲームである!!」ということです。

ゲームである以上、そこには駆け引きがあり、相手の出方を観察し、こちらの打つべき手を考え、攻防する、その過程を楽しむものだと私は考えます。

まずは、対戦相手がどのレベルなのか、心の中でニヤッとしながら、相手の技量を見るようにしましょう。試合中も冷静さを保ち、客観的に対戦相手を観察する余裕が生まれます。

「お、なかなかやるな！」と思ったら、最高にゲームを楽しむチャンス。「負けるかも」「ギリギリ勝てるかも」なんて考えるのではなく、「そうきたか」「だったら、これはどう？」と、次の戦略を試しましょう。こちらが戦略を変えたことに相手も気がつき、次にどんな試合展開をしてくるか。そんな読み合い、駆け引きもテニスの試合の醍醐味ですから。

例えば、相手がハードヒットのストロークが得意なら、ボールのスピードを少し落としてみる（緩めてみる）と良いでしょう。あなたがハードヒッターで、相手から逆のことをされたら、こちらもボールスピードを落としてラリーをしてみる。フォアハンドの叩くようなポーチが得意な相手ならば、緩いボールでバックハンドに配球してみる。バックハンドのハイボレーをあえて打たせてみる（試してみる）。

たくさんの戦略があるので、書き出したらきりがありませんが、次はあの手だ、この手だとお互いがいろんな手を出しあい、交わしあってゲームが進む。そんな攻防を楽しむことができたら、緊張も勝敗も忘れて、試合が楽しくてたまらなくなるでしょう。

挑戦者は強い！

みなさんは《挑戦者》と聞くと、どんな人を思い浮かべますか？

「逆境を乗り越え果敢に敵に向かっていく人」

「負けてもともと！　とにかく攻撃に徹する人」

といったイメージでしょうか。私が考える《挑戦者》はむしろ逆のイメージです。

私が過去に全国レディースで勝ち抜くことができた勝因は、常に《挑戦者》だったからで、決して逆境を乗り越えたわけでも、果敢に攻撃し続けたわけでもありません。

当時、私が貫いたのが、「相手に気持ち良く打たせながらも、自分たちはどんなときにも壁になり、自分とペアの2人の間は通させないよう守りぬく姿勢」でした。対戦相手が不利になったとき（追い詰めた）ときでさえ、自分たちが勝利を手にするまでは《挑戦者》の姿勢を変えませんでした。

《挑戦者》の姿勢、あるいは心意気というのは、決して攻撃をし続けることではなく、相手のボールを受け取り、ペアにパスを回し続けることです。サッカーにたとえれば「シュートを打たず、相手にシュートを打たせるように仕向ける」ことであり、これこそが私の考える《挑戦者》の戦略なのです。

考えてみてください。挑戦を受ける側は常に「勝たなければ」という心理状況にあります。勝たなければいけないと思っているときの心境というのは実に苦しいものです。早くポイントを取りたいから無理に攻撃をする。無理をするから心に余裕がなくなり、大切なポイントでミスをするようになる。打たれた方ではなく、まるでダイナミックにバズーカを打ち放つが如く打った方が玉砕する（笑）場面、よく見かけますよね。余裕のない状況で攻撃を仕掛けても、自分の首を絞めるだけです。

もちろん、攻めるのが好きなプレーヤーもいますし、それを否定するわけではありません。ただ、それがうまくいかないときには、私の話を思い出してください。

攻めから守備へと、発想を転換してみると、見える世界が変わって、形勢逆転につながるかもしれません。このことは、テニスに限らず、人生そのものにも当てはまります。

「自分は守ってばかりだ」そう思っているあなた！

決して自分を否定しないでください。実はあなたこそ《挑戦者》なのですから。

メンタルは試合の中で鍛えられる

さて、皆さんに質問です。あなたにとって、試合に出ることの意味とはなんでしょうか？
もちろん、試合は勝負ですので、「勝つ」ことを目的とされている方も多いと思います。では、試合で「負けた」時は、試合に出た意味がなくなるのでしょうか？

試合は「舞台」、しかも「本舞台」で、そのための練習はいわば「リハーサル」です。しかし、いくらリハーサルを重ねても、「本番の試合で感じる心の動き」は、実際に試合に出場しなくては味わえないものです！

大切なポイントの時の緊張感！　普段は強気でいられるのに、弱気になってしまう気持ちのコントロールの難しさ！　こういったものは、本番に何度も何度も臨む、挑むことで、経験値となり、「メンタルの強さ」となっていくのです。

ですから、試合に出場する意味は、「心の動きの修行」とも言えます。試合中のメンタルは、あなた自身、またはペアと2人で感じるものなので、第3者が体感できるものではありません。つまり、あなた、もしくはペアと2人だけが共有できる「オリジナルな経験値」といえます。

試合では、誰もが緊張します。ある意味「緊張＝集中」なので、緊張によって集中力を高めることは必要なのですが、この緊張感には波があります。試合の最初から最後まで、同じ強さの緊張感を保つのは難しい。

そこで、参考までに、私のメンタルコントロールの仕方、試合後の反省の仕方をお伝えしましょう。

まず、戦術や戦略の変更等は試合前に確認しておきます。これによって無駄な緊張感を取り除き、心を落ち着かせます。試合中には、大事なポイントのたびに、「今、自分の緊張感はピークにあるのか？」「それともピーク前なのか？」「ピークを過ぎてしまって気持ちが緩んで来ているのか？」「少し充電してもう一度緊張のピークを戻せるのか？」等を「感じる」ようにしています。

試合後には、その「心の動き」を振り返り、例えば「30-30の時に集中できていたか？」「それとも緊張しすぎていたか？」「うまく緊張のピークを集中に変えられたか？」等々、フィードバックするようにしています。

やはり、集中＝緊張のピークの持って行き方は、練習ではなかなか体感できないので、本番の試合で経験を積み、フィードバックすることに大きな意味があります。それを繰り返すことで、徐々に試合で自分たちの緊張の波をコントロールする事ができるようになってきます。

しかし、試合には一回たりとも「同じ試合」はなく、対戦相手、天候、場所、自分のコンディションによって変化するものなので、この「メンタル＝心の動き」のフィードバックには終わりはありません。試合に出るたびに課題が見えてきたり、目指すものが変化していくことでしょう。

それこそが試合の醍醐味！　試合でしか味わえない心の動きです。だからこそ、一戦一戦が楽しい！


「試合に出てみたいけれど、まだ実力がないから」「試合に出ても負けてばかりだから」と躊躇していては、いつまでたってもメンタルは鍛えられません！　「勝った」「負けた」の確率は2分の1。それだけに振り回されることなく、たとえ負けが続いても、試合には挑み続けていただきたいと心から思います！　試合は「心の動き」の唯一の訓練の場なのですから！

ＡＩにも優る力とは⁉

「試合に勝ちたい！」「上手くなりたい！」

そんな熱意や願望を持つ方は多いことと思います。しかし、上達＝スキルアップの「具体的な段階」についてはどうでしょうか？　段階ごとのレベルを具体的に意識せず、漠然とレベルを上げよう！と張り切るだけでは、その努力が空回りすることになりかねません。「階段を一段一段登るような着実なスキルアップ」には、まず「自分が踏んでいく階段を具体的に知る」こと、つまりスキルアップにおける各レベルについての具体的な定義付けを理解し、意識することが必要となります。

まず、４段階までのスキルアップの過程やその段階での内容を考えてみます。（坂田の推奨するステップアップ）

ステップ１　自分のショットに意識を持つ

＝苦手や得意、各ショットの課題点や改善点にフォーカスする

ステップ2　自分の得意パターン「軸」を知る
＝ステップ1での自分のショットを生かすパターンを構成していく

ステップ3　「自身の視点」で、自分のプレーを見る
＝ステップ1とステップ2を踏まえ、自分のプレーを客観的な目で点検する

ステップ4　「対戦相手の視点」に立って、自分のプレーを分析する

ステップ3までとステップ4の大きな違い。それまですべて「自分」に向けられていた視点が、ステップ4では「相手」に向かい、「今、対戦相手が何を感じているのか」を探る段階になるということです。「心の弱点をつく」「心理的なかけひきをする」「自分の気持ちの良いプレーではなく、相手にとって嫌なプレーができているか、相手の好きなパターンになっていないか分析する」段階に移行していきます。

そのためには、自分が仕掛けた時の対戦相手の反応や動き、ふとした相手の表情、相手から返ってくるボールの配球や球質等々、どんな些細なことであっても相手の軽微な変化を感じる、読み取る技術が求められます。こうしたことができると、「相手の裏をかく」プレーへつながります。

唐突なようですが、この章の題として「ＡＩ（人工知能）にも優る力とは！」と書きました。今やＡＩは、計算や分析、学習能力において著しい力を発揮し、様々なシーンで人間の持つスキルに代用され、人間以上の成果をあげ、絶大な注目を集めています。そして、これからますますＡＩの能力は発展していくことが予想されます。

しかしながら、ここで私が挙げたステップ４の「心のかけひき」や「相手の心理を探る」ことはＡＩに可能でしょうか？　ステップ４で求められるスキルとは、いうなれば、美容師さんがお客様の要望の細かなニュアンスを汲み取って、その要望に添う絶妙なカットにしあげる技量といったものにたとえることができるかもしれません。

ＡＩとテニスで勝負したら、ボールの威力やスピードといった強さ、打ち込む角度などのテクニックや正確性では負けるかもしれません。しかし、ステップ４段階にスキルアップすることができれば、決してＡＩをもってしても敵わない、巧みで繊細なプレーができるのではないでしょうか？　これぞ、人間ならではの駆け引きの醍醐味！

ステップ４に上がるためには、より高度なスキルや経験が求められ、そのハードルはかなり高いといえます。しかし、だからこそ、ステップ４の段階まで自分を高められた時には、「Ａ

Ｉにも負けない「ダブルスペア」になることができるのです。
是非、ステップ４の力を持てるよう、スキルアップを目指しましょう！

100回のミス

「ミスが少ない」ことは、プレーの安定性や試合の勝敗において、最強の武器になります！「ミスなく返球し、相手のミスを誘うこと！」を重視している方も多いのでは？

もちろん、ミスしない！　は大切です。しかし、ミスしないことばかりを重視し、「ミスを恐れる」ということには、プレーの厚みや質、可能性を狭めてしまうデメリットもあるのです。

「100回のミス」

そう聞くとマイナスイメージが湧くかもしれません。しかし、「100回のミス」がチャレンジの結果であり、成功への「過程=プロセス」である場合には、「なんとなくの1回の成功」よりも、数倍、数百倍の意味があり、何より成功の価値が違う！　ということを忘れてはいけません。

ミスとは経験値の一つ。敢えて経験すべきことでもあります。なぜなら、失敗（ミス）の経験が少ないと、うまくいかない状況に弱くなり、対応する力が身につかないからです。

誰しも「できること」、「得意なこと」だけを、こなしていきたくなるものです。これは、ごく自然な感情ともいえます。

例えば、トップスピンが得意で、スピンをかけていればミスしないから、試合中もスピンしか打たない。逆に、スライスが得意なので、スライスだけで試合を乗り切ろうとしたり。

もちろん、自分の得意ショットを生かし戦うことは大切！　しかし、スピンプレーヤーがスライスを混ぜるからこそ、スピンが生きるのです！

逆もしかり！　スライスプレーヤーが、スピンを混ぜることで、相手を惑わせ、得意のスライスが生きるのです！

もちろん、試合で突然、新たなショットを使うのはリスクもあり、相当な勇気がいるものです！　だからこそ、練習があるのです！　練習で、「出来ないことはしたくない！」「得意ショットだけ練習したい！」という姿勢は、勿体ない！

まずは、ミスを恐れずやってみる！　どんどん、チャレンジしてみる！　新たなショットを試してみる！

この過程では、ミスを連発して当然です。100回のミス……。それ以上のミスをするかもしれません。でも、それでいいのです！　初めはボールがどこか遠くに飛んでいってしまうかもしれません！　恥ずかしいと感じるかもしれません。それでも色々と試してみる！　この過程でのミスを恥じる必要は、まったくありません！

得意ショットを打ち続ける安心感から一歩外に踏み出す！　この勇気と挑戦が、必ず経験になり、引き出しを増やし、必ず自分の財産となるのですから！

人生においても同じことが言えますね。

さぁ！　どんどん試してみましょうよ！

失敗を恐れずにレッツトライ！

忘却力

――ミスを引きずらない秘訣――

皆さんは、試合中にミスショットをしてしまった時、そのミスに対し、どのように対処していますか？

自分のミスに動揺したり、悔いたり、次のポイントが始まっていてもそのミスに囚われている方も多いのではないでしょうか？　これは、私の生徒さんからもよく相談や質問を受ける課題であり、試合中によく見かける光景でもあります。

ズバリ答えを言いますと、自分のミスショットを引きずらない秘訣とは、

「忘れる」こと！

なんとシンプルな答えでしょうか！　しかし、この「忘れる」ということにもコツはあります。ここでいう「忘れる」とは、ミスをしても「全く気にしない」とか、「開き直る」といった安易な意味ではありません。その後のプレーに効果的なミスショットの忘れ方とは、人の心

にある「忘却力」を上手く利用するという意味です。
ミスショットをした時は、

◇ミスをしたことに固執せず、忘れる！
◇良い球質を打てている時のフォームのイメージを、直ぐに！　確実に！　確認する！

これが、忘却力を生かしたショットの立て直しです！　ミスショットをした時に、ミスをしてしまったことに固執していると、またミスを重ねてしまうという悪循環に陥ります。忘れることも、時には必要なのです。

「忘れる」ということもひとつの能力です。自分のメンタルを健やかに保つために人には忘却力が備わっているのだと思います。物忘れや覚えておきたいことを忘れてしまうのは、もどかしいものではありますが、「忘れる」ことは、時に自分の心を守ることでもあるのです。

テニスも、人生も同じ！
忘却力を上手に活かしましょう！

名もなき野花のたくましさに倣う

コンクリートの隙間からでもたくましく咲く、名もない野花。たとえ踏みつけられても、しおれない！　復活する！　その姿に心打たれる方も多いでしょう。この野花の《たくましさ》をみなさんにもぜひ取り入れてほしいと思います。

例えば、自分より対戦相手のレベルが高い、自分より強い相手に対して、あなたは自分から「練習をお願いする」ことができていますか？

本当は一緒に練習したい気持ちがあっても、「私なんて練習相手にならないかも……」「相手に迷惑かも……」とためらって、積極的になれない。そんな経験のある方、あるいは今、そんな風に戸惑っている方も多いことでしょう。

でも、レベルアップのためには、思い切って「練習してください！」と勇気を出すことが必要！　もちろん断られる場合もあるかもしれませんが、実際は快く「練習しましょう！」と言ってくれる方が大半です。

たとえ断られたとしても、気にしないこと！　肝心なことは、練習相手にならないかもしれない、迷惑をかけるかもしれないと弱気になり、遠慮をしすぎて、強者や巧者と練習するせっかくの機会をみすみす逃がさないことです。果敢にトライして、自分の強さを作りだすこと！　生徒さんの中にも、ラリーが続かないと申し訳なくなって萎縮してしまう方がいますが、それはなにより、もったいない!!　そんな時にはあえて雑草《名もなき野花》になりましょう！

自分は名のない、ちっぽけな雑草である（テニスのレベルがまだまだ低い）と感じるのは、謙虚な気持ちを持っているからであり、むしろ美徳です。決して悪いことではありません。謙虚な気持ちがあるからこそ、自分を高める成長の道が目の前に広がるのです。謙虚さを持ったうえで、今一度、冒頭の一文を思いしていただきたい。そして、雑草の強さをテニスのスキルアップに取り入れてほしいのです！

◇たとえ断られても、実力の差が明白でも、果敢に挑戦すること！

あなたは、普段「立てば芍薬、座れば牡丹、歩く姿は百合の花」かもしれませんね。美しく咲き誇るバラ、明るいヒマワリ、威厳のある大木かもしれません。でも、練習の時は、強い気持ちで、雑草になりましょう。

◇《名もなき野花》のたくましさに倣え！

それは、決して卑屈になるとか、自己評価を下げるという意味ではありません！

揺るがないメンタルの秘訣

みなさんはゲーム中、プレー以外の要因、例えば対戦相手の態度や言動に心を乱されたという経験はありませんか？　しかし、そうした相手のパフォーマンスのひとつひとつに心を奪われていると自分のペースが乱れ、ミスプレーにつながります。さらに、その心の乱れが自分のペアにも伝わり、ペアのミスまで誘ってしまうかもしれません。

世の中には様々な価値観を持った方がいます。テニスプレーヤーの価値観も十人十色、プレーヤーの数だけ価値観があると言っても過言ではありません。試合では、こうした価値観の違う相手と戦うわけですから、残念ながらプレー以外で心乱されることも多々あります。

そんな時は、一瞬「へぇー」と驚いても、「あら、風が吹いたかしら」くらいに流してしまいましょう。マナーやプレー以外で価値観の違う言動に遭遇した時にすべきことは１つ。

「流す、忘れる！」

そして、次にすべきことは、

「自分軸に戻す！」

「へぇー」のあとは、すぐに頭を切り替えて、自分のプレー、自分たちの戦略に集中する（自分軸に戻す）ことが重要です。嫌なこと、嫌なシーンを話したりすると、そのイメージが頭から離れなくなってしまうので、ペアともそうしたシーンについて話すのは禁物。あえて、「次のポイントの戦略や今の動きについて、互いに声をかける」と決めておくのも一つの方法です。心乱されるようなシーンに遭遇した時の対応策や自分軸の軌道修正法について、あらかじめペアと話し合って（作戦を練って）おきましょう。

郷に入れば郷に従え

大会のコートと、日々練習を重ねている馴染みのコートのサーフェスが違うことで、苦戦している方、あるいはサーフェスに違和感があって、普段の力を存分に発揮できないと悩んでいる方も多いのではないでしょうか？

スポーツに限らず、慣れない環境ではいつもと同じ行動をしても、うまくいかない。そう感じることは多々あると思います。

ましてやテニスの場合は、室内なのか？　屋外なのか？　暑い日なのか？　極寒なのか？　小雨なのか？　風はあるのか？　など、試合のたびに条件が異なるうえ、サーフェイスまで変わるのです。

いつもの練習コートとサーフェスが違うというのは、大問題です。それだけで戸惑ってしまい、パフォーマンスの質が落ちてしまうのも無理はありません。

しかし、いつもと異なった環境下に足を踏み入れたからには、「郷に入れば郷に従え！」で、気持ちを切り替えるしかありません。自分のテニスを、未経験のサーフェスに適応させるべく、調整することが必要となってきます。この調整には、テニススキル、精神力を要するので、日頃からの練習で心がけ、積み重ねていく事が重要です。

試合中しなければならないのは次のことです。

①「それぞれのコートの特徴に応じて自分のフォームを調整する！」

例えば、クレー・アンツーカー・オムニで練習↓ハードコートで打つ場合、いつもの練習コートで通用しているゆったりとした大きなフォームで打つと、ハードコートでは球足がかなり速くなるため、振り遅れやフレームショット、コントロールミス等々が起こりがち。その時に、「あっ、いつもと違うサーフェスだからダメだ」と思うのではなく、瞬時にフォームをコンパクトに調整することができるようになりましょう。

小さなフォームに切り替えれば、振り遅れが防げるだけでなく、動きが早くなって、相手に時間を与えない攻撃が可能になります。ハードコートでは、早い展開をする方が断然有利ですので、フォームをコンパクトにして、早い展開を心がけましょう。

②「サーフェスに応じて自分のプレーパターンを変える！」

例えば、クレー・アンツーカー・ハードコートで練習↓オムニコートで打つ場合、オムニコートはボールの回転の勢いがハードコートよりも弱く、しかもバウンドはクレーコートよりも低くて弾まないので、フラットなボールの方が有効です。また、バウンドが弾まない分、ドロップショットやネットプレーが有利になり、対戦相手の戦術にもよりますが、回転を押さえてネットプレーを増やした方が良いでしょう。

自分の得意パターンを変えたり、フォームを調整したりといったことは、一朝一夕にはできません。しかし、自分の新たな可能性を求めて、挑戦し努力を続けることは大切で違ったサーフェスでの試合にも是非、果敢にトライしてみてください。

クレー、アンツーカー、芝（あまり一般の試合で打つ機会はないと思いますが）でのプレーでは、ハードコート、オムニコートと違い、「イレギュラー」が生じます。それに対応するためには、打とうと決めた場所に確率良く打てるように、「スイングのフィニッシュの確認」を何度も繰り返す必要があります。繰り返しお伝えしているように、漫然とした、気持ちの良い打球感で満足するのではなく、「安定したフォームの形」、「打とうとしている場所・軌道などを意識したヒッティング」を何度も確認しながら練習を行いましょう。

これを継続するには、「精神力」が必要です。逆に日々ブレることなく、この練習をコツコツを行うことにより、「精神力」が培われます。左右前後に振られたときも、サーフェスで苦戦しているときも、この「精神力」は強い武器になります。

不得意サーフェスを避けず、さまざまなサーフェスに挑戦してみましょう！　きっと、あなたのテニスの幅が広がるはずです。

野球のキャッチャーの心構え

「キャッチャー」が、野球やソフトボールで、投手のボールを受けるプレーヤーだということはみなさんご存知だと思います。

実は、このキャッチャーが「扇の要《おおぎかなめ》」だということもご存じでしょうか？　というのも、キャッチャーには試合の流れや守備位置などを冷静かつ客観的に判断する役割があるからです。つまり、試合のカギを握る存在とも言えます。

野球やソフトボールにおいて、ピッチャーやバッターが注目を浴びることが多いように思いますが、キャッチャーこそ「扇の要」。非常に大切なポジションなのです。そして、テニスにおいても、「キャッチャー」になる心構えが大切なのです。

そこで、私は考えました！　その「キャッチャー」の心構えを書き出してみましょう。

○キャッチャーは、常に試合の流れを冷静に把握しなくてはいけない！
○キャッチャーは、客観的に試合を分析し、今、何をすべきか？　何をしてはいけないのか？

を判断するスキルを持たねばいけない！
○その判断を持ってサインを送り、試合を作らなくてはいけない！
○キャッチャーは、試合結果の勝敗について常に原因を考えなくてはいけない！
○勝った時も負けた時も、常に分析すること！　考えること！

野球やテニスでも、スポーツと呼ばれるものには、たいてい「勝ち、負け」が存在します。「勝つか、負けるか」を決める要素は、対戦相手と自分の実力、その日の双方のコンディション、試合の持ち運び方のチョイス等々ありますが、時には、「運」に左右されることもあります！

試合に「運よく勝てる」こともあるでしょう。しかし、勝敗には必ず理由があります！「運が良くて勝てた！」としても、「運が悪くて負けた！」としても、そこで思考を止めてはいけません！　レベルアップのためには「何故？」を考える（全体を客観的に分析する）ことが大切です。

「何故負けたのか？」

「どうしたら良かったのか？」

「次回はどんな策があるのか？」

「今、欠けているのはどのようなスキルか？」

それを考えるのがレベルアップへの確実な一歩であり、冷静かつ客観的な「キャッチャー」になる秘訣です。

そして、もうひとつ、私の長いスポーツ経験から言えることは、「ナイスプレーには偶然があるが、安定した守備には偶然はない！」ということです。

試合中は、ポイントによって感情が揺れ動きがちです。ナイスショットでポイントがとれても、それで満足してはいけません！「キャッチャー」の目で確認することが大切です。

例えば、

「今のショットはポイントになったが、全然ダメ……」

「体の開きが大きくバランスが悪かった……」

「エースになったが、振り遅れ気味だった……」

「インパクトゾーンが若干ずれていた……」

というように、自分のショットに対して、「全然ダメ」「ダメ」「少しまし」「今のは理想的」など、いくつもの客観的な視点で判定し、評価をつけること！　試合中にそれができるようになるには、練習時から、こうした判定・評価を行い、習慣づける必要があります。

その努力を重ねたプレーヤーだけが、状況分析スキルと安定した守備を兼ね備えた、優秀な「キャッチャー」になれるのです。

1ポイントの重み

――ノバク・ジョコビッチ選手に学ぶ――

皆さんは、試合で1ポイントを勝ちとった時、その1ポイントが果たして「根拠のある」1ポイントだったのか？　そのような意識を持ってプレーしていますか？

「なんとなくうまく取れた」「なんとなくエースが取れた」「振り遅れたが、良いコースに入りポイントが取れた」

これらは、「根拠のない」ポイントです。結果的に、「根拠のない（根拠の薄い）」ポイントが取れたとしても、それは決してナイスショットではなく、ここで満足していてはテニスの技術は磨かれません。

坂田の尊敬する、世界トッププレーヤーのノバク・ジョコビッチ選手のプレーを見ていると、改めて「1ポイント」の重みを感じることができます。それは、ジョコビッチ選手の生まれ育った環境、常にファンを魅了することを意識してプレーしている彼の「プロ意識」、そういったものが、ポイントに込められているからだと思います。

現在、華々しい活躍をしているジョコビッチ選手は、12歳という幼い頃にユーゴスラビア紛争を経験しています。彼がジュニアとしてテニスキャリアを積んでいた1999年、彼の暮らすべオグラードが爆撃にあい、ジョコビッチ少年はなんと78日間、爆音に怯えながら暗い地下室で過ごすという、私たちの想像を絶するような辛い目に遭っていたのです。

それでも、その壮絶な経験さえ、ジョコビッチ選手のテニスへの情熱と愛を奪うことはできませんでした。自分自身のために、そして家族のため、生活のため、ジョコビッチ選手はテニスプロの道を選び、日々練習を重ね、類まれな才能を伸ばすことに全力を注ぎ、それが今の成功につながったのです。

当然、「なんとなくうまくいった」などということは、あり得ません。境遇に負けず、日々の練習に打ち込んだうえでのジョコビッチ選手のプレーからは、沢山のことを学び、感じることができます。

もちろん、ジョコビッチ選手は世界トップのプロテニスプレーヤーですから、私たちがジョコビッチ選手のプレーを再現するのは不可能に近いわけですが、彼のプレーや姿勢に学ぶことは十分できます。
　例えば、遠回りしているように思える日々の基礎練習は、技術の「厚み」を増すことにつながります。しかし、なんとなくうまくいったプレーにはそれなりの「厚み」しかなく、結果としてのナイスショットも次にはつながりません。「厚み」のあるプレーは、対戦相手にも伝わります。「厚み」のあるプレー、根拠のあるナイスショットを継続し続けてこそ、相手は、プレッシャーと畏敬を感じることでしょう。

　ジョコビッチ選手は基本に忠実で、シングルスラインをぎりぎりに狙う、いわば「一発勝負」的なナイスショットを狙うのではなく、ラインぎりぎりではないけれども、自分の時間を無くすことなく、時間をしっかりとつくりながら安定した「根拠のあるショット」を打ち続けることで、相手の精神面を崩し、ポイントを取っています。たとえポイントを失っても、そのポイントの落とし方さえ観客、ファンを納得させるだけの「厚みのある」「根拠のある」プレーがあったうえでの1ポイントです。ここにジョコビッチ選手の、1ポイントに対する「重み」をひしひしと感じます！

　加えて、ジョコビッチ選手のプロ意識は非常に高く、その意識はファンや観客へのサービス精神に表れています。彼がファンや観客に対して感謝の気持ちを抱いていることは、彼の立ち振る舞い、笑顔、時折見せる遊び心のある、愛嬌のある仕草から見て取れます。その姿は、まるでテニス界への「恩送り」をしているように私には思えるのです。

そもそも、私が、この『坂田の呟き』を書き始めたのも、生徒さんへの「恩送り」をするためでした。「恩送り」とは、生徒さん、そして周囲の方への、感謝の気持ちがあってこそ生まれるものだと思います。だからこそ、ジョコビッチ選手の実力だけでなく、心の在りように魅了されるのだと思います。

1ポイントの「重み」を意識してプレーしましょう！

第4章

テニスが教えてくれた大切なこと

――心のイノベーション――

「できる」の反意語

テニスのコーチをしていると、テニスの技術だけでなく、日常生活や、もっと大きな「人生」においても大切なことに気づかされることがあります。

できるか、できないか、という考え方もそう。成功するうえで必要な考え方をするならば、「できる」の反対は「できない」ではありません。「できる」の反対語は「足りない」です！

「できない」を「足りない」という言葉（意識と言ってもいいかもしれません）に置き換えてこそ、成功に繋がるプロセスへ一歩踏み出したことになる、と私は考えています。今、あなたのなかで「できない」と感じることがあったとしても、そのことで自分を責める必要はありません。

完璧に「できる」状態を100だとするならば、「できない」とあなたが感じている状態というのは100に満たないだけであって、0（ゼロ）ではないはず。つまり「足りない」だけなのです。それを、「できない」と捉えてしまうと、成功へとつながるプロセスを遮断してしまいます。これでは、未来がありません。

一方、「足りない」という考え方の先にあるのは、「足りない」部分を「補う」という発想です。

今の状態が80ならば、あと20を補えばよいわけです。もしこの時点で0だったとしても、1から始めて100を目指していけば良いのです。1でも90でも、100を基準にすればどちらも「足りない」だけ、「足りない」要素を補っていくだけなのです。

この考え方は、生徒さんだけではなく、指導する側にも必要なこと。「足りない」ことを「できない」ととらえて、叱るのは間違った指導です。「足りない」部分が何で、どのようにすれば補えるのか、その方法を共に考え、客観的な視点からアドバイスできる指導者こそ、生徒さんを成功のプロセスへと導くことができます。

生徒さんはみな、成功に向かうプロセスの道半ばなわけです。その道中で「補う」ための工夫をして努力した人は、必ず成功することができます。(このプロセス自体を楽しい！と思うことができれば、さらに良い！　花丸です！)

成功すれば、喜びを感じると同時に自信がつきます。このようなポジティブなサイクルの中で成功体験を積み重ねることによって、「補う」努力が習慣化され、またさらなる成功につながっていくのです。

テニスであれば、練習やトレーニングが「補う」手段となります。まずは、意識を「できない」

から「足りない」にシフトしましょう。そうすれば、何をどのように補えばいいのか、課題が見えてくるはずです。

このように具体的な課題意識を持ちながら行う練習やトレーニングは、あなたを、着実に成功へと導いてくれるでしょう。「できないから……」と漫然と取り組む練習に比べ、はるかにクオリティーが高く、効果的です。

テニスでも、プライベートでも……そう、人生全般において、気づかぬうちに物事を「できる」か「できない」かの二択で考えてしまっているとしたら、今すぐ意識を変えてください。

それでも、自分にはできない……そんなふうに落ち込んでしまった時には、本書やブログ『坂田の呟き』を読み返してくださいね！

あなたはできる！「足りない」部分は「補う」だけ！

滅入っている暇なんてありませんよ。

努力の正しい方向性

努力はすべからく正しいわけではなく、間違った方向へ向かって努力していることも多々あります。「勝ったから正しい、負けたから間違い」ではありません。

スポーツに限らず、ビジネスでもなんでも、トライ&エラーは大切であり、挑戦には失敗が付き物です。失敗を振り返り、どうすれば良かったのか、軌道修正して未来へつなげていくことがなにより重要でしょう。

自分が思っていることは正しいのかな？　先にある、思い描く未来へ本当に向かえているのか？　その努力は、果たして正しい方向に向かっているのだろうか？　そう感じるときには一度、立ち止まってみてください。

私自身、力を注ぐ方向を間違え、思い描く目標にまっすぐ向かっているはずが、遠回りしてしまったことがあります。そんな私だからこそ、皆さんには、「努力の方向性」を誤らないほしいのです。

私は次のように自問自答します。

「困難を乗り越えた先に自分が理想とする未来はあるのか？」
「自分はどうありたいのか？」
テニスの試合に負けて、次こそその対戦相手に勝てるように努力をすると思いますが、はたして、その努力は真のあなたの目標にかなった正しいものでしょうか？　思い描く自分のプレースタイルがあるならば、それに向かって努力する方が大切！　思い描く自分に向けて努力する方が、未来に繋がる！

試合中であれば、目の前の対戦相手に勝つために「臨機応変」に対応することが大切ですが、長期的に努力をする際にはあくまで正しい方向へ向かい続ける必要があります。

自分ひとりでは、正しい努力の方向性が分からない、いくら考えても釈然としない。そんな時こそ、テニス指導者であり心のカウンセラーである私の出番。生徒さんを正しい方向へと導くことが坂田の使命であり、そのために心血を注ぐことが正しい努力であり、私が進むべき正しい進路だと確信しています。

インプットとアウトプット

皆さんは、「インプット」と「アウトプット」という言葉をご存知でしょうか？

直訳すると、「インプット」とは、元々コンピューターにデーターを取り込むことを意味し、「アウトプット」とは、出力することを意味します。

私たちが、何かを学ぼうとする時、脳は新しい知識を「インプット」すべく、せっせと働いています。テニスのレッスンで、私がアドバイスや新しい情報を伝えると、生徒さんたちは熱心に耳を傾けてくれます。この時、生徒さんの脳には、今聞いたテニスの知識や情報が、「インプット」されている状態にあるといえます。新しい情報、知識インプットするのは、とても大切なことです。

何かを習得したい！　学びたい！　という時には、このインプット作業（教えられ、情報を取り入れる行為）が欠かせません。一方、取り入れた新たな知識を、自分の技として実際に生かすためにはアウトプット作業も大切です！

新しい知識は、その後のアウトプット（実行）を反復することでのみ、本当の自分のスキルとして、身についていきます。しかし、それを実際に外に向け発信する＝表現することができなければ、それは単に「知ってる」だけに過ぎません。

得た知識をアウトプットしてみると、意外になかなか上手くいかないことに気がつくでしょう。アウトプットを継続することで、ようやく「知っている」レベルから「できる」というレベルに到達するのです。このことを理解せず、多量なインプットだけを続けていても、物事の習得、上達には決してつながりません。

私は小学生から中学生まで、習字を習っていました。私の習字の先生は、書道は学問の根本だと教えてくださいました。

インプットは書道で言えば先生が書いた見本、アウトプットは見本を見ながら一つ一つ丁寧に書く（なぞる）ということになるでしょうか？　これをやり続けることが練習です！　その過程のなかでオリジナリティーも芽生えていきます！

これをテニスに置き換えて考えてみましょう。先生のお手本のイメージを持ちながら練習や試合でなぞる（プレーする）のがアウトプットです。アウトプットの際にインプットされたお手本と照らし合わせる行為を繰り返すことで、そのクオリティーをどんどんと高めていくことができます。

現代社会は、様々な知識、情報に溢れかえっています。テニスに限らず何かを習得したいという時、昔と比べて、格段に「インプット」しやすい環境にあるといえます。しかし、「インプット」で得たものを「アウトプット」しなければ、それは単なるデータに終わってしまうことになるのです。

2対6対2の法則

皆さんは、「2対6対2の法則」というものをご存知でしょうか？

これは、主にビジネスや経営マネジメントで使われる考え方で、組織や集団の構成員は、パフォーマンスが良い人が2割、中くらいの人が6割、ローパフォーマンスの人が2割の割合に分かれるという定理を表すものです。実際、多くの企業が自社の社員の評価を分析すると、「非常に優秀・突出している社員20％・平均的（普通）の社員60％・仕事の成果が出ない社員20％」という構成になることが判明しています。

社員を「2対6対2の法則」に当てはめて評価するというのは、とてもシビアで、抵抗がある方も多いかもしれません。しかし、経営向上のためには、こうした分析は欠かせません。

私は、この「2対6対2の法則」は、自分のテニス、ダブルスにおける2人の実力を分析する際にも利用できると考えています。誰しも漠然と、「○○が得意」「○○はまぁまぁできるけど、普通かなぁ」「○○が苦手」という意識は持っていると思いますが、それを客観的に「得意なこと2・まあまあ6・苦手なこと2」にしっかり分けて把握すれば、ゲームをより有利に進めることができるはずです！

例えば、ダブルスにおいてストロークは秀でているが、平行陣でのプレーが苦手なペアを例としてあげてみます。

まずは、「得意とする20％」を使います。２人ともダブルスバックポジションをとり、最初からストロークで勝負していく。この時は、ただ単に強く早いストロークで打ち抜くだけでなく、「相手の足元に沈めるストローク」「相手の陣形、体制を崩すロブ」「相手のセンターに打ち込むストローク」など、２つ以上のストロークパターンを持っておくことが重要です。

これだけでも充分勝てる可能性がありますが、次に、自分たちの「まぁまぁできるかな」という60％を使っていく。これは、「得意な20％」をより生かすような展開に持っていくプレーであることが望ましい。例えば、雁行陣形式から、ペアの作ったボールを前衛がボレーで確実に決める。ストロークだけでなく、「ボレーもできるんだ！」と思わせることにより、相手にプレッシャーを与え、相手の打つコースを狭めることができる。つまり、後衛ペアにストロークが集まり、前衛ペアがより打ちやすくなります。そこで、相手の後衛が前に出てこられないよう、得意なストロークやロブなど深いボールでコントロールし、勝負する。

最後、「得意な20％」＋「まあまあの60％」が通用しない、劣勢な時には、あえて残りの「苦手な20％」＝苦手なポジション＆プレーを使ってみる！　この例にあげたペアの場合、「平行陣を使う」が当てはまります。自分たちが苦手と思っていても、相手にすれば、2人が前に出てきた方がやりにくいと感じるかもしれません。それに、この「苦手な20％」を使うことで、流れが変わるかもしれない！

それでも、うまくいかない場合もありますが、試合は勝ち負けだけではありません。この「苦手な20％」のスキルをあえて使ったことで、今後、この20％に対する練習意欲が増したり、どうして苦手なのか？　と考えるきっかけにもなります。また、この「苦手な20％」があるからこそ、「得意の20％」の精度をもっとあげようとするモチベーションにつながる！　「苦手な20％」が、実は大切なのです。

では皆さん、さっそく「2対6対2の法則」で、自分のテニスを分析してみましょう！　「私はすべて苦手です」「私はどのプレーも得意です！」という方がいらっしゃるかもしれませんが、冷静に自分、あるいはペアとの実力を分析すれば、どのレベルであっても、必ず「2対6対2」は出てくるはずです！

そして、「得意の20％」のプレーに自惚れたり満足してしまうことなく、「ダメ・少し良い・

良い」と常に自分でダメ出しをしながら、より精度の高いプレーとなるよう努力することが大切です。「得意の20％」のプレーもさらに正確に分析すれば、「2対6対2」と分けることができるのですから！

１００点満点の落とし穴

――着実なスキルアップのための思考プロセス――

皆さんに質問します。

「あなたはテストで１００点満点をとりたいですか？」

ほとんどの方の答えはＹＥＳなのではないでしょうか？

実は努力なしに、簡単に１００点満点がとれる方法があるのです。驚かれる方もあるかもしれませんが、答えは簡単。自分で試験問題を作ればいいのです。自分の今持っている知識で答えられる出題をすれば、当然１００点満点が取れます。

では、もうひとつ質問です。

「あなたはこの方法で１００点を取り続けたいですか？」

この質問に対しての答えは人それぞれ違うでしょう。１００点満点を取れば気持ちがいいです。嬉しいです。それで満足するのであれば、それもいいでしょう。でも、これをテニスに置き換えてみると、この方法で１００点を取って満足している状態というのは、「どんな手段を使ってでも勝てればいい」という状態になっていると言うことです。つまり、「目的」が「勝つ」ことになってしまっているのです。

でも、これでよいのでしょうか？

私は、勝つことを「目標」にし、「目的」をテニスの上達にすることが大切だと思います。試合に参加し、きちんと自分のプレーを振り返る言葉が出る生徒さん。こういう人は確実に伸びます！

「負けたけれども、ペアとのパターン練習通りの配球でポイントがとれた！」「レッスンで教わったストロークを意識し、ラリーができた！」「勝ったけれども、相手のミスショットに助けられたポイントばかりだった」「ペアとの連携プレーでのポイントが少なかった」等々、実は大切なのはこの振り返りです。必ず次につながります。たとえこの時点での自分のプレーが20点だとしても、それは素晴らしいのです。なぜかというと、自分の設定を今の自分のレベルより高くしているからです。

「何を基準に100点としてとらえるか？」が重要です。「20点」と答える生徒さんは、自己の可能性を信じ、成長を目指しているからこそ、達成できた「20点」と残りの課題の「80点」を冷静に分析できるのです。残りの80点はその生徒さんの課題であると同時に、これからスキルアップする「可能性」なのです！

優勝を目指すのは素晴らしいこと。坂田も応援します。でも、本当に自己のテニスのスキルアップを目指すのであれば、「優勝すること」のみを目的とすることはオススメしません。今のレベルで勝てる試合ばかりを選んで出場すれば、案外簡単に「優勝」はできるでしょう。でも、この「優勝」を重ねたところで、その人の可能性は広がりません。自分で答えられる問題ばかりを選んで100点満点を狙うのと、どこか似ていませんか？

必ずしも、「勝った」=「レベルアップ」ではない。そのことを意識できるか？　理解できるか？で、今後のテニス人生に大きな違いが出てきます。

さて、もういちどお尋ねします。

「あなたは100点満点をとりたいですか？」

第4章

「その100点の中にきちんと自己の課題（今以上のレベル）を盛り込んでいますか？」

自分を知る！

――謙虚な気持ちで自分を評価する大切さ――

突然ですが、皆さんはどのくらい自分自身を理解していますか？　また、自分自身と向き合う時間を意識的に作るようにしていますか？

人生においても、テニスにおいても、「自分を知る」ことは大切です。自分を「知る」とは、自分を客観的に「評価」することです！　自分を「知る」「評価」する時には、「謙虚な気持ち」で臨むことが大切です！

一般的なイメージとしては、

「自己評価が高い」＝自信に満ち溢れイキイキ、キラキラしている！

「自己評価が低い」＝劣等感が強く、ネガティブ！

しかし、私の考える「自己評価」は少し異なります。テニスを通じ、たくさんの生徒さんと接する中で、次のような、ある共通した「傾向」と「特徴」があることに気がつきました。

「自己評価の高い（自信がある）人」には波がある！　勝気な人はミスや試合に負けたことに執拗にこだわる。「こうしたら、より良かった」と、前に進む反省ではなく、「私はできるはずなのに！」「あのレベルだったら勝てるはずだったのに！」と、自分を過信し過ぎているがために、ステップアップにつながる考え方ができない。「もっとできるはずだ」と思い、無理をする。さらに、勝った次の日は練習が雑になる、というものです。

一方、「自己の評価が低い（謙虚な）人」は常に挑戦する気持ちでいるため、良いプレーができても決して過信しない。すぐに、「これは自分の実力！」と単純に結論づけない。良いプレーが自分の実力なのか？　偶然できたのか？　謙虚に知ろうとする姿勢があるから、良いプレーをもう一度確認し、さらに練習しようとする！

また、常に「自分のできることにだけ集中しよう」と思っているので、波が少ない。自分は「まだまだ」「課題がたくさん」という気持ちを持っているから、いつも練習に真剣に取り組むことができる。そのため、優勝した翌日の練習でも丁寧、且つしっかり意識をもったショットの確認ができる。

このように、「自己評価が低い」ことは、必ずしも悪いことではありません。「自己評価が低い」とは、ネガティブなマイナスイメージではなく、謙虚な気持ちが強いため、「まだまだ」「もっと自分を高めたい」人のことです。決して、「卑屈」とか「劣等感」という捉え方をする必要はないのです。むしろ、人生においても謙虚な姿勢は大切であり必要です。

逆に、物事や自分との向き合い方で一番良くない、残念な生き方とは、自分の殻を破ろうとせず、既に自分が出来る、100点が取れる自信のあるレベル内の話だけをして満足しているような生き方です。自分に自信を持つことは大切！　だけど、自己過信は実は成長を妨げる！それは、非常に勿体ない生き方！

いま一度、自分への評価や、捉え方を見直してみませんか？

「わぁ、自己評価が高すぎた！」「根拠のない自信を持ちすぎているのかも？」「謙虚さが足りなかった！」「あぁ、自己評価が低いことを劣等感と思っていたけれど、良い面もあったのか！」「私はダメなのではなくて謙虚だったんだ、明日からまた頑張ろう！」等々、様々なことが新たに見えてくるはず！

さて、あなたの自己評価はいかがですか？

いつだってポジティブ！

ある二つの言葉を並べてみます。

「祝い」と「呪い」。字面は似ていますが、意味は大違い。良い未来を与えるのが「祝い」、悪い未来を与えるのが「呪い」。

私たちが普段何気なく行っている「言葉の選択」が、良い未来をもたらすこともあれば、逆に、未来の可能性を塞いでしまうこともある。「言葉の選択」の影響の大きさについて、あなたにお伝えしたいと思います。

例えば、テニスの試合中を思い起こしてみてください。リターンでミスをしてしまった時、「あぁ……どうしよう。次はミスしたらいけない……」これは「呪い」。

「ミスはしたけど、今のコースの狙いは良かった！」これが「祝い」。

上手くいかない時でも、「今日はダメだな」ではなく、「昨日よりステップがいいぞ！」の声かけ！　これぞまさに「祝い」の言葉の選択ですね！

◇「言葉の選択」によって、未来は大きく変わる！

あるスポーツ選手の幼少期のエピソードがあります。父親が息子の動体視力を導き出すため、息子の顔に向かって軽くポンと、柔らかいボールを投げていたそうです。その際、息子が仮につかみ損ねたとしても、決して「痛かったね！」「怖かったね！」という言葉は使わなかったと言うのです。この「痛い」「怖い」という言葉は恐怖心の暗示、すなわち「呪い」だと考えたからではないでしょうか？

恐怖心が芽生えると心身にネガティブに作用し、余計な力が入り、身構えさせてしまうので、動きが止まる（悪くなる）。こうしたことを回避するため、彼の父親は、ネガティブワードをあえて使わなかった！　おそらく、「楽しいね」「面白いね」と声をかけたのではないかと想像できます。

これはまさに、ポジティブワードのもたらす未来の成功例ではないでしょうか？

子どもだけではありません。大人だって、言葉の影響を受けます。だから、あなたにもどうか日常のさまざまな場面において、

「未来につながる言葉がけ」＝「祝い」の言葉を選んでいただきたい！

「遅刻するから早く起きなさい」ではなく、「美味しい朝ごはんができたから起きよう」と！

自分自身、そして子供たち、周囲の人のために、私たち大人は率先して未来に繋がるポジティブワードの選択をしていくべきですね！

無極

先日、藤井聡太竜王は5冠を最年少にして手に入れました！

「すごい！」としか言いようがありません。

この藤井聡太竜王の5冠達成の評価には、「常識にとらわれない柔軟な一手」「どんな局面でも思考を固定化せず、前例を疑う姿勢が、多くの棋士を驚愕させる一手を生むのだろう」という言葉が見受けられます。

さらに、評価は以下のように続きます。

「棋風には『攻め将棋』『受け将棋』などがあり、棋士の個性ともいえる概念だが、『正解』を求める上では先入観にもなり得る。藤井5冠は特定の得意戦法やこだわりを持たず、常に最善手を追い求める。非常に合理的な将棋で、多くの若い棋士が後に続くだろう」。

まさに、これこそ、坂田がテニス女子ダブルスで伝えていきたいことです！

テニスでも、今までのポジション、打ち方、すべて過去の教科書にとらわれることなく、「考えること」は必須！　つまり、藤井竜王でいう「前例について疑う姿勢」が求められているのです。

現代テニスの世界トッププロは守備からカウンターを狙う事が主流になってきています。これまでの一般概念として、「攻める」「仕掛ける」ことはポイントを取る確率は高いが、同時にリスクを背負うことであり、「守備」とはリスクを避け、徹底して守り、相手がポイントを落とすことを待つこと」と、教わった方も多いのではないでしょうか？

しかし、リスクを負わず、守備範囲を守ることでもカウンターでポイントは取れるのです！

レディーステニスの世界でも、以前は、ワイドに角度をつけポイントを取る方法が多かったのですが、カウンターで返されるため、今は、その戦略はなくなりつつあります。陣形を作って、いかに無理をしないかは大切です。しかし、「無理をしない」とは、かつての教科書通りの、ただ、ゆるいボールで時間を作るだけの「守備」を意味するものではありません。

私がレッスンで、生徒さんに伝えていることは、次の2点です。

①守備ゾーンを手堅く守り、早く時間を作ってしっかり打つ！（カウンター）
②時間を作る事を主流にしつつ、少しアクセントをつけ相手に仕掛けることもする！

これらを実行することには、もちろんミス、リスクが伴いますが、今後（未来）のスキルアップを目指すのであれば、絶対に挑んで欲しいスキルや意識だと思います。

試合に勝つことだけが1番ではありません。坂田の考える大切なことは、

「未来に向け、強くなる自分を目標とすること！」

「自分の限界を定めず、その先の自分を目指すこと！」


まさに、この章のタイトルの「無極」です。

「無極」は、藤井竜王が大切にしている言葉で、その意味は、「どこまで行っても極まることのない、頂点がない」ことです。これまで数々の快挙を成し遂げつつも、この「無極」にこだわる藤井竜王！　無極の先に何を見出すのか!?　これからの活躍が大いに期待できますね。

そして、この「無極」という考え方は、テニスにおいても、人生においても、誰しもが心の中に持ち続けることが出来る、心の在り方なのではないでしょうか？


あなたは今、自分の未来に何を見ていますか？

日々の生活でつくる心の余裕

テニスでも人生でも、人は色々な局面に遭遇します。特に悪い局面に遭遇してしまった時、どれだけ冷静に、平常心でいられるか？

こうした局面では、日々の積み重ねや生活が咄嗟の行動になって現れるように思います。言い替えると、常に冷静に、平常心でいるためには、「日々の生活の過ごし方」が大切だということができます。

もちろん、人間ですから喜怒哀楽、感情があるのは当然です。また、熱い心や情熱を持ち続けることも人生においては素敵なことです。しかし、同時に、人は常に「静まり返った湖のような心」をどこかに持ってなければいけないと私は思います。

この「静まり返った湖のような心」は、突然現れるものではなく、やはり日々の生活の中での「訓練」があってこそつくりだせるものであり、一朝一夕につくりあげることはできません。

では、常に冷静さを保つ＝心の余裕を保つ訓練とは？

日々の生活に、「念入りな計画」「リハーサル」「予想される出来事の準備」「それに対応する練習」を取り入れることだと考えています。

そのためには、私の苦手な「整理整頓」もとても大切です！　整理整頓によって、部屋の中の物すべてを、どこに何があるかがわかるようにしておく。そして、どんなに忙しくても、その状態を「常に保つ」こと！

カバンの中も、それぞれの物を入れる場所を決めておく。どんなに慌てていても、急いでいても、それは徹底する。そして、それをきちんと「習慣づけて」おくこと！

なぜなら、心の余裕は、次に起こりうる事を考え、常にその準備を整えておくことによって保たれるからです。

整理整頓とは単に物を整理する行為ではなく、「次」の事を考え、冷静に判断する基本の訓練なのです！　そして、何時でも戦える心と身体を維持すること！

そのためには、規則正しく食べ、規則正しく寝て起きて、日々きちんとリズムを刻むこと！　休みの前日に深酒したり、休みの日に朝寝坊したりしないこと！　こうした普通のこと、誰でも出来る！　と思うようなことを誰も出来ないくらい規則を保って行動できるか？　それが肝心です！

こうした日々の何気ない、一見、簡単と思われるようなことを、きちんとコツコツやり続けることが「心の余裕」につながり、自分の中に、「静まり返った湖のような心」をもたらすのです。

気に入らない⁉
——その発想に未来はあるのか——

新しいアイディア、状況に応じた柔軟な対応、新しい試み……

これらが、受け入れる側の固定観念や思い込み、或いは感情的に「気に入らない！」という判断基準で却下！　新しいアイデアのメリットも、そのアイディアに至った状況も考慮されることなく、「ダメな発想！」と決めつけられる……

そんな状況に心当たりはありませんか？　或いは、豊富な経験、人生を長く生きてきたという自信のもと、自分自身が、無意識のうちに新しいアイディアや意見を却下する側になってしまっていませんか？


テニスにたとえれば、主にクロス配球を戦略とする指導者は、ストレートに戦略を持つ生徒がいたら、「気に入らない」ので、「クロスがセオリーだ！」の一点張りで、生徒の戦略を否定するかもしれません。

「ボレーを振ってはダメ！」「スイングなんてありえない！」という考えの指導者は、スイングする生徒を見れば、「気に入らない」ので、「絶対にインパクトで止めて！」と言うでしょう！「スイングした方がラケットにボールがのり、対戦相手が嫌がってます」と説明しても、自分の思っているボレーと違う！　もしくは、その戦略が「気に入らない」ので、はなから「ダメ！」と決めつける。

どんなに素晴らしい案を出したとしても、判断する人が気に入らなければ、それは素晴らしい案ではなく、くだらない案になってしまう。

気に入らないから、即、却下!?　悲しいかな、こうした状況で、新たな風が吹き、新しい発想が出てくる可能性はあるのか？　そして、そんな社会に未来はあるのでしょうか？

古きを大事にすること、過去の経験や感覚を大切にすること。これも、もちろん大切なことです。しかし、未来や新たな可能を開拓していくためには、過去の経験や自分の信念だけでなく、「認める力」が必要です！

新しいアイディアを、「気に入らない！」ではなく、「なるほど、それも一理あるかな？」と、まずはいったん受け止める「柔軟性」、常に心を若々しい状態に保ち、「未知の価値観」に触れていこうという「心の余裕」、こうした感覚や姿勢をバランスよく持ち合わせることが大切だと、私は心から思うのです。

今や、テニスの世界もひと昔前とは大きく様変わりし、ラケットも技術もどんどん進化しています。時代も、コロナという未曾有の事態も相まってものすごいスピードで変化し、かつてはマイナーだったものがメジャーに躍り出るなど、新たな価値観が生まれ、次々に生活に取り入れられているのです！

テニスにおいても、ダブルスにおいても、そして社会生活すべてにおいて、新しいこと、新しいもの、自分とは違う価値観を「認める力」を持つこと！「認める」ことによってこそ人との信頼関係が生まれ、そこから新しい風も新しい波も湧き起こっていくのですから。

さあ、あなたも固定観念に囚われていないで、未来に向かって一歩前進！

新しい風

2022年5月7日（現地）、ATPマスターズ1000「ムチュア・マドリード・オープン」（5月1日〜8日／スペイン・マドリード）にて、19歳のアルカラスは、前日のナダル戦勝利に続き、世界ランクナンバーワンのジョコビッチに勝利！　結果、史上最年少にして本大会の優勝を掴み取り、スペイン・マドリードに新たな風を吹かせました！

坂田の考える「新しい風」の「新しい」とは、単に年齢が「若い」とか、選手キャリアとして「新人」という意味ではありません。着目したのは、アルカラスの最先端の「ドロップショット」の技術です。

爆速、かつ深くコートに刺さるようなストロークを打つアルカラス。相手は、ベースラインの遥か後方へ追いやられ、次のアルカラスの痛烈なストロークに備えます。それに対して、アルカラスは爆速ストロークと全く同じフォームで打つと見せかけて、ドロップ!!

目を見張る衝撃的な瞬間です！　切り裂くようなストロークと、意表を突いた精度の高いドロップショットの、いわば「二重の脅威の戦術」は、アルカラスが「勝つため」に編み出した新たな戦略。それこそが、私が「新たな風！」だと感じたところです。

今後、坂田自身も「新たな風」を吹かしていきたい……

新しい風を吹かせるには、コツが必要。それは、

◇経験した事実を前向きな発想で考察していくこと

例えば、今日の試合で「負けた理由」をあれこれ考えていても、何の新風も起こりません。「次、そのチームに勝つ為には何が必要か？」を考え、それに向けて練習をすること！

すべては、ここから始まります！

「対戦相手のストロークがすごいから負けた」

そう思っていては、次に繋がらない！

「ダブルフォルトをしたから負けた」

では、ダブルフォルトをしなければ勝ったのか？

それは違う！

成長するためには、「新しい風」を吹かせるためには、うまくいかなかった理由を考えるのではなく、困難を乗り越えるための思考の転換が必要です。

前述の快挙を遂げたアルカラスは、対ジョコビッチ戦で、第1セットをタイブレークで奪われた時も、セットを落とした理由に固執などしていませんでした。

「セカンドセットにもチャンスがあると感じていた。少しでも良いリズムをと思い、リターン時に、できるだけ前に入るようにし、それが成功し、徐々に良い流れになった」と、後のインタビューで語っていました。「やはり」ですね！

「新たな風」を吹かせる人は、常に「前向きな発想」で「成功するための戦略」を探しているのです！

ジメジメとした涙さえ吹き飛ばす、爽やかで素敵な風！

「新たな風」を吹かせていきましょう！

その決断は正しいか

人生において、日々の生活において、私たちは、AかBか？　またはCなのか？　時に決め難い選択をしなくてはならない状況に直面することがあります。

それは、就職や転職であったり、家族のことなど人生の岐路だと思える大きな決断であったり、或いはもっと些細なことだったりする場合もあるでしょうが、決断する本人にとれば、頭を悩ませ、心が大きく揺さぶられる状況であることには違いありません。

迷うということは、どちらの選択にもメリット、デメリットがあり、或いはデメリットだらけの選択肢であっても、そこに、他人には分からない自分だけの価値観や直感、信念を見いだしているからだと思います。

そして、人は決断する時に、心配をしはじめます。「果たしてこの決断は正しいか？」と。

実は、毎日の生活は「決断」の繰り返しです。そして、「果たしてこの決断は正しいのか」に対する答えとは？

◇決断に、正解も不正解も無い！

このように書くと、
「なんだ、何の解決にもならない……」「正解、不正解がないから悩んでいるのに……」と思う方もいらっしゃるかもしれません。

しかし、正解、不正解はなくても、決断するという大きな勇気を振り絞った後に、自分の選んだ道が、確実に大成功だと感じることはできます！　なぜなら、その選択をした後の「その選択への向き合い方」によるからです。

まずは、決断をした自分の勇気を称えましょう。そして、決断した道を歩みだしたら、他の選択肢のことはもう振り返らない。他人が、「別の道を行けばよかったのに」等々、何を言っても気にしないこと！　あなたの悩んで出した結論こそ、尊く、価値のあるもの！

選択した道を歩む過程で、不安になったり、嫌になることもあるでしょう。それでも、自分を尊重し、選んだ結果を尊重し、前向きな気持ちで向き合うことができれば、その道は、あなたにとってベストな選択になり、あなたをずっと支え続けます。

それは、一つの宝物、人生の財産になるのです！

もし、その選択をしたことで、耐え難い苦痛に苛まれ、ギブアップしたくなったなら、その時にまた「決断」すればよいのです。その時、その時の決断は、その時点でのあなたの精一杯の勇気なので、後にまた別の決断をしたとしても、過去に行った決断が間違いということではありません！　あなたの宝であることに変わりはないのです！

テニスでいえば、「守るか？　ストレートに打つか？」を、選択しなければならない場面で、失敗を恐れず、仕掛ける勇気をもって決断したことは、たとえその結果、試合に負けたとしても、その後の練習のモチベーションであったり、気づきにつながる価値ある決断といえましょう。
これは、あなたの「決断」を尊び、これからもあなたを応援していくメッセージ。

◇今、あなたが決断に迫られているならば、それは自分の大きな成長のチャンスです！

考える葦

「人間は、自然のうちで最も弱い一本の葦にすぎない。しかしそれは考える葦である」（フランスの哲学者パスカル）

私は、ある奨学生選考試験の試験官を5年間務めています。この奨学金事業は、海外留学生の「学びたい気持ちを応援」するもので、選考面接会には大学、大学院トップクラスの学生が挑みます。皆真剣で、面接対策も入念です。どの学生に聞いても、過去の面接での質問データは完全に頭に入っていて、完璧に答えることができます。

しかし、坂田面接官（笑）は過去のデータにない、独自の質問をしました。それは、学生が「今、覚えていること」を試すのではなく、コミュニケーション能力や「考える力」を一番に重視したいと考えたからです。過去の問題集にないことを問われた時に、その場で考える、表現する、伝える、そのような力を考査する方が、暗記の正確さを試すよりも、ずっと価値のあることだ！という想いがありました。

テニスでも、私は同じ信念をもっています。過去のデータを覚えるのではなく、誰もやったことがないことを探す！　教科書に載っていないことを考える！　そして、この「考える」ことにこそ価値があり、最大の武器になると思うのです。

「考えること」は「進化する」ことです。これは、テニス世界男子トッププロの進化を見ると、イメージしやすいかもしれません。

例えば、スピードと技術力に秀で、華麗で舞うような、天才的、感覚的プレーで他の選手が太刀打ちできないフェデラー出現！

それに対抗したのがナダル！　パワーとスタミナを武器に粘り強く戦うことで、フェデラー相手に勝利を勝ち取りました。（フェデラーVSナダルの対戦成績は、16勝対24勝　※２０１９年12月17日時点）

そのナダルに対抗し、頭角を現したのがジョコビッチ！　ジョコビッチの強さは、フェデラーやナダルに比べていっけん地味に見えるので、分かりづらいですが、コントロール力、技術力の高さ、戦術では、フェデラーやナダルを超えています。また、スポーツ選手にとって課題となることが多い「メンタル面」が抜群に安定している！　そして、フォアハンド、バックハンド、ファーストサーブ、セカンドサーブに一切の技術弱点が無い！　厳しいラリーをミスすることなく続けることが出来る強靭なスタミナと精神力！　この安定した強さで、ナダルを打ち破り、現在世界ランキング1位に輝いています。（ナダルVSジョゴビッチの対戦成績は、27勝対29勝　※2020年10月12日時点）

このようなプロの進化のように、教科書に掲載されていることを覚えたらよいのではなく、どのようにしたら相手に勝てるのか？　考える力＝「進化する力」が必要である！
「考える事」は人間だけに与えられた天賦の才能であり、最大の武器となると思います！

人間は考える葦である！
テニスも人生も、「考える葦」で挑みたいですね。

縁は異なもの味なもの

「縁は異なもの味なもの」

このことわざは、昔であれば、男女の不思議なご縁による素晴らしい結び付きのことを言ったようですが、現代では、性を越えた人間同士の出会いや《ご縁》に対しても使われるようです。「合縁奇縁」とも言いますが、私はこのことわざが持つ響きを気に入っています。「味なもの」という部分が、なんだか粋に感じられるからです。

さて、私たちは生きていくうえで、日々、さまざまな人と出会います。もちろん、出会うのは素敵な人や気の合う人ばかりではありません。なかには「気が合わない」「苦手だ」と思う人もあるでしょう。本来、人付き合いは自由ですから、気の合う仲間とだけ過ごせればいいのですが、実際はそうもいかず、いろいろな人と関わらざるを得ない場面も多々あります。

そんなときに大切なことは、次の考え方です。

◇すべての出会いを《ご縁》と捉え、自分の人生にプラスにする違う考え方、感性と出会うことによって、新しい発想が生まれるかもしれないのですから。例えば、「自分とは考え方が違う」「苦手だな」と思う方がいる場合、そこで視界をシャットアウトするのではなく、これもひとつの《ご縁》だと捉え、「自分の成長のために出会えたのかもしれない」と発想の転換をしてみるのも一つの方法なのではないでしょうか。

もちろん、自分の信念を曲げて、苦手な方に迎合する（無理して合わせる）必要はありませんが、ただ、「これもひとつのご縁だ」と考えることによって、自分の視野や思考が大きく広がり、深みを増すこともあるでしょう。

テニスで言えば、対戦相手も、《ご縁》ですね！　ライバルとして出会えたことにより、自分に何が足りないかの気づきを得ることがあります。そして、それが練習への意欲となり、自分のレベルアップにつながったりするのです。不思議なことに、対戦相手とのちに最高のペアになる方も多いんですよ！

まさに「出会いは異なもの味なもの！」ですよね。

また、今のダブルスのペアとの《ご縁》にも感謝してください。さまざまなプレースタイルの方がいるなかで、そのペアに出会うことができたからこそ、最善のフォーメーションを作り上げたり、そのフォーメーションでの戦い方を練習できるのですから。《ご縁》に感謝することが、ペアや自分のレベルアップにつながっていくはずです。

私自身さまざまな場面で、避けては通れない出会いに遭遇し、時には辛いと感じる場合も正直あります。しかし、そこから逃げ出すのではなく、それもひとつの《ご縁》として受け止めるようにしています。すると不思議なことに、必ず自分にプラスになって返ってくるのです。

どんな《ご縁》も、自分とは違う価値観を学ぶチャンス、自分を見つめ直すきっかけであり、時には、(失礼ながら)相手が反面教師になることもあり……。改めて、心を許せるスタッフとの《ご縁》に感謝したいと思います。

長年、私を慕ってくれる素敵な生徒さんとの《ご縁》にも、ただただ感謝の気持ちでいっぱいです。たくさんの《ご縁》が、日々の活力の源になっています。

◇《ご縁》は必ず自己研磨につながる！
◇出会いの捉え方ひとつで成長につながる！

人知を超えてやってくる《ご縁》を、どうかみなさんも楽しんでみてください。

私のコーチ術

一口にテニスコーチと言っても、さまざまなタイプのコーチがいます。例えば、生徒の気持ちがアップするよう、ひたすらそのプレーを褒めるタイプの人もいれば、自分のプレースタイルを手本として生徒に教えるタイプの人もいます。指導の仕方も千差万別。その日のテーマを決め、そのテーマに沿った練習を生徒全員に課すコーチもいれば、生徒にできるだけたくさんボールを打たせることを方針にしているコーチもいます。

もちろん、自分がどういうテニスをしたいのか、どういうプレーヤーになりたいのかによって、求めるコーチは違ってくるでしょうし、自分に一番合うコーチのもとで練習することが一番です。

私、坂田はそうしたコーチとはまったく違って、生徒さんひとりひとりの個性を生かす指導をしています。言い替えれば、その人その人の体の使い方や特徴にあわせたパーソナルなレッスンです。

体の使い方は人によって異なります。例えば、体の重心軸が前寄りにあるか（前重心）、後ろ寄りにあるか（後ろ重心）によって体の動かし方が異なりますし、軸足も変わってきます。後ろ重心なのに、前重心の打ち方をしようとすると、体に合わず、無理な打ち方になってしまいます。また、過去に軟式テニスをしていたことがある、バトミントンをしていたなどの経験の有る無しによっても、体の動かし方は異なります。私は、それぞれの生徒さんの動作などを観察し、その人の重心位置や体の使い方に合わせた打ち方を提案しています。そうすることで、その生徒さんは無理なく体を使え、力を発揮しやすいからです。

戦術もそれぞれのプレーヤー、ダブルスペアのレベル、個性に合わせたものを提案しています。例えば、槍しか持っていない人には槍での戦い方を提案します。火縄銃を使える人だと、槍よりは遠くの相手を倒すことができますが、一回弾丸を発射するたびに、弾丸を入れ替えるための時間が必要で、何列かの兵士を次の発射に備えて待機させなければなりません。ピストルになれば何発か連続で撃つことができますが、これもあまり遠くの敵は倒せない。これが機関銃になれば一挙に相手を倒すことができます。ですから、その人がどんな武器を持っているかによって、戦術はまったく変わってくるはずです。ところが、プロが書いた戦術書というのは、プロと同じように機関銃を持っているものとして書かれている。槍しか持っていない人に、その戦術を教えてもうまく使うことはできません。

そもそも、誰もが教科書通りにできるわけではないのです。教科書には、「後ろのベースラインまで下がってスマッシュしろ」と書いてありますが、脚力がそれほどではない40歳以上の女性では、ネット近くからダッダッダッと後ろのベースラインまで一気に下がるのは無理！　ですから、それぞれの体力、脚力に合わせた戦術、戦い方を提案する必要があるのです。

「時間」、つまりボールを打ち返すのに一番よいタイミングもそれぞれ異なります。そのタイミングを生かすことで無理なく、最善のボールが打てるので、それぞれの「時間」にあった打ち方の提案も必要です。ダブルスであれば、自分がボールを打つとき、相手からの返球にペアが対応できる「時間」をつくるよう、コースやスピードを考えて打つといったように、「時間」を意識した打ち方をするようアドバイスしています。

さらに、試合で40対40になったとき、どうやってフィニッシュの一本を勝ち取るか。ペア2人の特徴を考えて、どの方法ならその一本を取り切れるかを提案します。

もちろん、その人がどのレベルを目指すのかという志によっても指導の仕方は違ってきます。こうしたさまざまな要素を考えあわせて指導を行うため、私のレッスンは全員に合わせたものではなく、とてもパーソナルなものにならざるを得ないのです。

喩えれば、ファッションコーディネーターが、青が似合うと思っている人に、「赤の方が合うよ」とアドバイスしたり、「その赤の服にはゴールドのピアスが似合うよ」とか「ピアスでも大きな星形のピアスが似合うよ」と提案するように、ひとりひとりに合わせた練習法・戦術を提供するオートクチュールレッスンとでもいえましょうか。

ですから、私の役割もコーチというより、コーディネーターという方が近いかもしれません。それが坂田という人間のコーチのやり方であり、これまで培ってきた経験と磨いてきた観察眼に基づく指導法、きめ細やかでひとりひとりの個性を最も生かすことのできるコーチ術であると自負しています。

私の指導法のもう一つの特徴は、生徒に安易な満足感、心地よいという感覚を与えないことです。まるで「鬼コーチ」のように聞こえるかもしれませんが(笑)、これも常に生徒さんをレベルアップさせることを考えてのことであり、向上心を持たせてもう一つ上のレベルを目指してもらいたい、という親心（コーチ心）からなのです。

ですから、生徒さんが一つのプレーで70％できるようになると、もう一段階上のレベルの練習をさせます。だいぶできるようになって、本人も徐々に自信が持てるようになってきた、というところで新しいレベルに移り、またゼロから取り組まなければならないというのは、精神的にも大変だとは思います。ただ、それによって、今のレベルに満足することなく、次々と上のレベルに挑戦していく姿勢が保てるのです。

今以上のレベルアップを目指している向上心の強い人、試合に勝ってもそれを単純に喜ぶのではなく、もっともっとできるようになりたいと貪欲に思う人に、ぜひ坂田のレッスンを受けにきてもらいたい。そういう人たちを指導できることを切に願っています。

さあ、私、坂田コーチと一緒に、さらなる高みを目指しましょう！

私は呟き続ける！

先日、とても嬉しいことがありました！

ブログに綴ってきた『坂田の呟き』。読んでくださるのは、テニスに関わる方々が多いように思っていたのですが、ある女性から、こんな言葉をいただきました。

「私はテニスをしていませんが、いつも楽しみに読ませていただいています。『縁は異なもの味なもの』を読んだ時は、涙が出ました」

『縁は異なもの味なもの』で、私はこんなことを書きました。

――私自身、テニス以外の環境において、避けては通れない人間関係に遭遇し、それが、自分にとって辛いと感じる時もあります。しかし、そこから逃げ出さず、それもひとつの《ご縁》と考えるようにしています。そうすると、不思議と必ず自分にプラスになって返ってくるのです――

これは、すべてのご縁に対し感謝しよう。たとえ辛いご縁（価値観の違う方とのご縁）であっても、捉え方によって、必ず自分を成長させるありがたい出会いなのだ。そんな想いを伝えたくて綴った文章でした。

前述の女性は、おそらく人間関係で、とても辛い経験をなさったのではないでしょうか。そのご自身の直面した状況と重ねてあわせ、涙したとのこと。「辛いと思っていた出会いも、本当は感謝すべき出会いであり、その時の方々には感謝の思いで接すればよかったのですね……」そんな心中も伝えてくださいました。

私の呟きが心にすっと入り込み、辛い心の塊をゆっくりと溶かしていった……。その女性の心を明るい光にむけて解放することができた……。そんな気がいたしました。これもまた、まさに！「縁は異なもの味なもの」だと、感謝と感動で心が熱くなりました。

私の歩んできた人生は決して順風満帆なものではなく、「遠回り」が多かったように思います。そして、現在も目指す目標に向けて、もしかすると遠回りをしてしまっているのかもしれません。しかし、決してこれらを後悔はしていません。これまでも、そして、これからも。何故ならば、人生は「遠回り」の方が「近道」よりも「気づき」が多いから。

テニスも人生も、うまくいかないことが多い時こそたくさんの「気づき」があり、新しい価値観や自分の成長を模索するきっかけとなると、私は身を持って感じています。「近道」は、立ち止まり、考える時間を与えてくれません。遠回りの道こそ、自分に困難に対応する知恵や思考を与えてくれる！　私は、そんなふうに考えています。

テニスをされていない方からご連絡をいただいたことで、「私の呟きは、女性の方々の心の支えになるかもしれない」と手応えを感じましたし、そう思うと、日々思うこと感じたことを呟かずにはいられません！

お読みいただいて、共感していただけると嬉しいです！　逆に、価値観が違うなぁと感じられても、それもまたひとつの異なる価値観との出会いとして、読む方の「気づき」のひとつとなれば、これもまた嬉しいのです！

私は、またひとつ決意をいたしました！　遠回りの多い私だからこそ、呟き続けよう！

すべては皆のために

スポーツの効用の一つに、「他者との連帯感が育まれ、精神的な充足が図れる」というものがありますが、ペアとチームを組んでプレーする「女子ダブルス」は、ペアとの間に強い連帯感が育まれることから、とくに精神面での効用が大きいスポーツと言えるでしょう。

このように連帯意識が強い「女子ダブルス」の世界では、自分のテクニックや技のレベルがアップすると、ペアもレベルアップを促される、自分がうまくなればペアもうまくなり、仲間のレベルアップにつながるといったように、ひとりの活躍が即、周囲へも波及します。また、自分たちのペアが試合で勝てば、一緒に練習をしている他のペアも刺激を受けて頑張ろうとなるので、一つの勝利も大きなプラス効果をもたらします。自分の努力がみんなのためになる、と思うとグッと練習のモチベーションも上がり、頑張り甲斐も出てくるというものです。

一方、負けたとしても、その対戦相手から学ぼうという意識があれば、悔しい経験も大きな財産となり、今後の練習の励みになることでしょう。技術面に加えて、戦略や冷静さ、またメンタル面の強さ等々、学ぶべきことはたくさんありますから。世界トップクラスのダブルスペアは、相手をリスペクトする精神と、その経験を次につなげようとする意欲を持っているからこそ、勝っても負けても、最後には笑顔で握手し、「ありがとう」と言えるのです。

ペアがレベルアップしていくためには、こうした練習や試合での学びに加えて、精神力を鍛えていくことも重要です。心がタフでなければ、強いダブルスペアにはなれないからです。とはいえ、自分の目標がしっかり定まっていないと、マインドを磨くことも、強い精神力を持つこともできません。自分がどこを目標にして、何のために努力をするのか、今一度、確認してみてください。

私の目標は「皆のために」です。生徒の皆さんに向き合い、悩みを聞き、アドバイスをするのも、また、ともに練習に打ち込むのも、すべて皆のためになりたいからであり、それが自分を支えてくれている人たちへの恩返しだと思うからです。

もう一つの目標は「動じない心」を持つことです。「動じない心」は、もちろん冷静に試合に臨むために必要なものですが、同時に、いろんな方面から圧力を受けたり、さまざまな問題が起こった時に、仲間や支えてくれる人たちを守る力ともなります。

皆さんにも、しっかりした目標を持って精神力を磨き、練習を積んでさらなる高みを目指してもらいたい。それがひとりひとりの明日を拓き、未来を創る力になると信じています。

第4章

おわりに

この本をお読みくださり、ありがとうございます。

本書は、私が「女子ダブルス」の選手、指導者として体験したことや小さな気づき、テニスの心構えや相手を思いやる気持ち、心の在り方についての提言などを綴ったものですが、こうしたことを皆さんに伝えていくことが、「恩送り」になると考え、一般書籍として出版しました。

「恩送り」とは、自分が受けた恩を別の誰かに送っていくことであり、さらにその「恩送り」を受けた方がまた「恩送り」をすることによって、幸せや優しさの裾野は無限に広がっていきます。

この「恩送り」に力を貸してくださった多くの方々に感謝するとともに、本を読んでくださった方が、温かい気持ちになり、勇気や自信を回復し、前向きな気持ちになって、さらにチャージした元気やエネルギーをまた次の人に届けてくださる、そんな一冊になればいいなと思っています。

20

●著者プロフィール

坂田妙子（さかた たえこ）

愛知県出身。コーチ歴30年のベテランコーチ。

メンタルアドバイザー。戦術型ダブルスプレーヤー。

〜「ダブルスは、常にペアの笑顔のために」〜がモットー。幼少期、姉の影響で始めたテニス。打って走る楽しさを知ると同時にキャッチボールさながら、ラリーには心情がつぶさに表れることにも面白さを見いだす。スポーツとしてだけでなくコミュニケーションとしてのテニスの奥深さ、可能性に気付き指導者に転向。一人でも多くのプレーヤーにテニスを楽しめる環境を提供する「橋渡し」ができれば……という想いから、2000年テニスクラブDo-planning clubを設立。レッスン指導と同時に、試合や練習会を企画している。

全国レディース大阪代表：全国準優勝。全日本選手権2回出場。

元社団法人日本プロテニス協会（JPTA）：認定インストラクター。公益財団法人日本スポーツ協会：公認スポーツ指導員。障がい者スポーツ指導員。

心でつながる女子ダブルス

勝てるテニスの処方箋

2023年5月15日　第1刷発行

著　者　坂田妙子

編集協力　井上陽子

発 行 者　太田宏司郎

発 行 所　株式会社パレード
大阪本社　〒530-0021　大阪府大阪市北区浮田1-1-8
TEL 06-6485-0766　FAX 06-6485-0767
東京支社　〒151-0051　東京都渋谷区千駄ヶ谷2-10-7
TEL 03-5413-3285　FAX 03-5413-3286
https://books.parade.co.jp

発 売 元　株式会社星雲社（共同出版社・流通責任出版社）
〒112-0005　東京都文京区水道1-3-30
TEL 03-3868-3275　FAX 03-3868-6588

装　幀　藤山めぐみ（PARADE Inc.）

印 刷 所　創栄図書印刷株式会社

ISBN 978-4-434-31949-5 C0075